JN059215

2030「文化GDP」世界1位の日本

元メリルリンチ日本証券副社長
元米国ビズメディア社長
福原秀己

白秋社

まえがき――米国で「少年ジャンプ」創刊からトム・クルーズ映画のプロデュースへ

本書を脱稿しようとしていた二〇二〇年一二月七日、「読売新聞」に以下のような見出しが躍った。

〈映画製作費ＧＤＰに　「設備投資」で計上へ〉
〈コンテンツ　収益生む「資産」〉

ＧＤＰとは、一定期間に国内で生み出された「付加価値」の合計、一国の一年間の「稼ぎ」である。政府は、この記事のもとにもなったＧＤＰの基準改定を、二〇二〇年一二月に予定していた。

そのなかで、近年活況の住宅のリフォーム費用や民泊の宿泊費などが、新たにＧＤＰに集計される。加えて、従来「費用」とされてきた映画やテレビドラマの制作費も、将来にわたり収益を生み出す「投資（総固定資本形成）」として、ＧＤＰに反映されるようになる。結果、名目ＧＤＰは、全体で六兆～七兆円、そのうち映画・テレビドラマ制作費の資本化で、約一兆円押し上げられる見通しだ。

これからの日本では、「読売新聞」も書くように、映画やドラマ、マンガやゲーム、書籍や音楽など「コンテンツ産業」の制作費を、積極的に新たな価値を生み出す「生産性資産」として捉えるようになる。会計手続き的に使用年数で費用を按分（あんぶん）するための「繰延資産」ではなく、需要創出のための「投資」として、GDPの一翼を担うのである。

そして、この「コンテンツ産業」が生み出す付加価値こそが、本書で述べる「文化GDP」である。筆者はこの「文化GDP」で、二〇三〇年には、日本が米国を抜き、世界一位になると期待している。

かくいう筆者は、二〇〇三年、二〇年のあいだ勤めた外資系金融企業での仕事を辞めてサンフランシスコへと向かった。「映画をやりたい、アカデミー賞を獲りに米国に行く」と大言壮語して日本を発ったものの、一〇年後にトム・クルーズ氏主演のハリウッド映画をプロデュースすることになるとは夢にも思っていなかった。

金融企業を辞めた私に飛び込んできた仕事は、「米国でマンガ出版を手伝ってほしい、『少年ジャンプ』を世界に広めてほしい」というものだった。

マンガはエンターテインメントなので映画に近い、会社のあるサンフランシスコはハリウッドに近い……私はほとんど即決で、その仕事を受けることにした。方向さえ違わなければ、判断と準備には時間をかけない。あとは動きながら考えればいいのだ。

こうして、小学館と集英社、そして小学館集英社プロダクションがグループで出資している「ＶＩＺ Ｍｅｄｉａ ＬＬＣ（ビズメディア、当時はＶＩＺ ＬＬＣ。文中では以降、ＶＩＺ）」というサンフランシスコに居（きょ）を構える米国の出版社で、私の新しい仕事が始まった。

ＶＩＺは二〇〇二年に「ＳＨＯＮＥＮ ＪＵＭＰ（英語版・少年ジャンプ）」を創刊し、次いで少女マンガ誌「ＳＨＯＪＯ ＢＥＡＴ」を創刊する。「少年ジャンプ」が起爆剤となって、米国にマンガブームが到来する。そして二〇〇六年には、「クウィル賞」というアメリカ出版大賞のグラフィックノベル部門において、ご当地もののアメコミを抑えてマンガ単行本「ＮＡＲＵＴＯ Ｖｏｌ・７（ナルト　第七巻）」が大賞を受賞した。

余談になるが、後に大統領となるドナルド・トランプ氏は、『金持ち父さん貧乏父さん』で有名になったロバート・キヨサキ氏との共著『あなたに金持ちになってほしい（Why We Want You To Be Rich）』をこの年に出版していて、授賞式ではビジネス書部門のプレゼンテーターを務めていた。

この頃、日本製マンガと歩調を合わせるように、日本製アニメの北米でのテレビ放映も絶頂期を迎えようとしていた。アニメは直ちにＤＶＤ化され、マンガとの相乗効果を発揮し、日本発のマンガ・アニメ市場を拡大していった。

また、ネット環境がブロードバンド時代を迎えていた二〇〇六年には、VIZはいち早く米国でのテレビパートナーである「カートゥーン ネットワーク」と共同でアニメ専用チャンネルを立ち上げ、ブロードバンド配信をスタートさせた。

そして、やって来たモバイルでのデジタル配信ではさらに先行し、二〇〇七年には初代iPhoneにVIZの専用アニメアプリを登場させることに成功した。

二〇〇八年、VIZは欧州にも進出し、現在もパリとベルリンにオフィスを構え、英語圏に加えフランス語圏やドイツ語圏でもマンガ・アニメ出版を展開している。

「紙媒体の終焉（しゅうえん）」という不可逆的な潮流のなかで、どの国のどの出版社も、「デジタル」と「海外」という二つのキーワードに生き残りを懸けている。VIZはいち早くその二つに橋を架け、日本のコンテンツを送り出すシステムを構築した。VIZが二次利用専門の出版社だったからこそできたことだと思う。

ゼロからオリジナルコンテンツを創る仕事と、すでにあるコンテンツを運用する仕事は、完全に別モノである。特定のメディア内で創作する才能と、メディアを横断して売り歩く才能は、まったく違う。VIZは初めから「売り歩く」会社であった。

マンガ出版（紙）、アニメ（放送）、配信（デジタル）、商品化（リアル）、可能性のあるメディア（媒体）すべてでコンテンツを運用していくのがＶＩＺのミッションである。

　そして、北米で忘れてならない最大のメディアは「映画」である。二〇〇八年、ＶＩＺはハリウッドに「ＶＩＺ Ｐｒｏｄｕｃｔｉｏｎｓ ＬＬＣ（ビズプロダクション）」という映画製作会社を設立し、同時に映画化原作を増やすため、出版物もマンガだけではなく小説やライトノベルに枠を広げた。

　枠を広げたからといって、もちろん何でも売れるわけではない。北米にローカルの市場があり、日本原作が競争力を持つと考えられたＳＦ、ホラー、ファンタジーに限り、従来のマンガとは別のブランドを立ち上げて英訳出版を始めた。

　そして、この取り組みのなかから、ハリウッド実写版のトム・クルーズ氏主演『オール・ユー・ニード・イズ・キル』が生まれることになる。オリジナルは、すでに当時活躍していた小説家・桜坂洋（さくらざかひろし）氏による同名のライトノベル『All You Need Is Kill』（集英社スーパーダッシュ文庫、イラスト・安倍吉俊（あべよしとし）氏）である。

『オール・ユー・ニード・イズ・キル』（米国での映画原題は『Edge of Tomorrow』）は強運を持ったコンテンツである。二〇〇九年の英訳出版開始と同時にハリウッドに売り込みをかけたのだが、脚本が直ちに売れ、その後は、考え得る限り最速で、かつベストのスタッフとキャストで製作が進んだ。そうして二〇一四年に完成し、全世界で公開されたのだが、足かけ五年というのは十分に速かった。

　これほどうまく物事が運ぶことは滅多にない。同時期にハリウッドに売り込みを始めたマンガ原作『ＤＥＡＴＨ ＮＯＴＥ（デスノート）』（原作・大場つぐみさん、作画・小畑健氏）は、紆余曲折を繰り返した末にネットフリックスによって映画化されたのだが、二〇一七年に放映が開始されるまでに、仕掛けから七年が経っている。

　この二つの他にもＶＩＺが映画化を仕掛けた作品は数多あるが、大半が企画・開発段階で立ち消えになった。ただし、完全消滅したわけではない。誰かがまた火を点けるのを待っているのである。

　このように私は一〇年以上にわたり、北米、時として欧州において、マンガ、アニメ、テレビ、キャラクター商品化、ハリウッド映画の各分野で、日本のコンテンツを運用するビジネスに従事してきた。そして、『オール・ユー・ニード・イズ・キル』の公開を機に海外を引き払い、私は帰国した。

　帰国後は、もっぱら日本で原作や素材（アイデア）を探し、ハリウッドのビジネスパートナーにつなぐという形で、日本のコンテンツによるハリウッド映画の企画開発を続けている。

　同時に、日本でインバウンドの観光客を対象にした舞台のプロデュースにも参加する機会に恵まれた。現在は、映画はもちろん舞台も含め、様々なジャンルのコンテンツを、海外での経験を活かしながらプロデュースしている。テーマは、「稼げるコンテンツ・ビジネス」の創造である。

海外を行き来しながら、中国や韓国が製造業で世界上位に進出し、日本が追い越されていく様子を目の当たりにしてきた。一〇年を超える米国生活での後半（二〇一〇年代）、我が家のテレビは韓国製だったし、レンタカーを借りるときも、もっぱら韓国車だった。ブランド物の服も、タグを見ればメイド・イン・チャイナと印刷されていた。日本が製造業で優位を保ち、世界をリードする時代は、残念ながら過去になってしまった。時代は変わったのだ。

「世界は大きく変化している」という言葉は、いつの時代にも使われるパワーシフトを示す枕詞であるが、私が米国にいた十数年で、ほんとうに世界は大きく変化した。それ以前には、グーグルもアマゾンもフェイスブックもアップル（スマートフォン）も、私の生活のなかにはなかった。それが現在では、この四つがないと無事に生きていけない。

彼ら「GAFA」は、いわゆるプラットフォーマーと呼ばれ、ネット社会を牽引する巨人である。世界中の人々（顧客）を、そのプラットフォーム上にピン留めしてしまった。

ここに至るまで、数多くのプラットフォーマーが覇権争いを繰り返し、勝ち残った四つは巨大化し、我々の生活の隅々にまで入り込んでいる。そして、いよいよこの四つのプラットフォーマーの最終決戦が近づいている。そこで雌雄を決するのは、どうやら、プラットフォームとしての機能や安全というテクニカルな部分の善し悪しではなく、プラットフォームが提供するコンテンツの魅力であるという認識で一致している。

――「コンテンツの時代」が到来しているのだ。

そして我々の国、日本には、そのコンテンツがある。コンテンツ市場では、コンテンツの供給者として、質と量で圧倒的な優位性を持っているのだ。「日本はコンテンツの宝庫」である。

関係者が「作為の契機（事を起こす動機）」を持ちさえすれば、コンテンツが、日本の救世主になる可能性は高い。「作為の契機」とは、チャンスがあることに気づき、行動を起こす意志を持つことを意味する。丸山眞男氏の「作為」にかけて小室直樹氏が好んで使った言葉である。

中国や韓国も、コンテンツ市場で急速にプレゼンスを高めてきている。装置産業ではないので、参入障壁は低い。インドや中東、他の国々も、コンテンツ市場になだれ込んできている。猶予はない。

本書の主題は、この「コンテンツ」、そしてそれが生み出す「文化ＧＤＰ」である。

「コンテンツの時代が到来した。そして日本はコンテンツの宝庫である。だからコンテンツで稼ごう」――これが本書のテーマである。

そして、前提になっているのは、「歴史は英雄の物語だ」「世界はストーリーを求めて動く」という筆者の主観である。

主題良し、テーマ良し、それでも、つまらない作品というのは多いものだ。そうならないことを念じながら本書を書き進めたつもりである。お付き合いいただければ幸いである。

なお本書では、一ドルを一一〇円として計算させていただいた。

二〇二〇年四月

福原秀己（ふくはらひでみ）

目次＊２０３０「文化ＧＤＰ」世界１位の日本

第二章　日本のコンテンツが凄い

第三章　米国・欧州・中国のコンテンツ戦略

第四章　オタク文化の世界観が創るビジネス

第五章　世界のコンテンツ市場で日本はピカソ

終章　シミュレーション2030　日本の「文化GDP」

２０３０「文化ＧＤＰ」世界１位の日本

序章　世界各国が注目する「文化ＧＤＰ」とは何か

❋「文化・創造」を数値化する「文化ＧＤＰ」

本書で述べる「コンテンツ」とは、二一世紀を迎え、バブル崩壊後の「失われた一〇年」からの脱却、そして「日本再生」というテーマのなかで注目され始めたものだ。具体的には、後退する諸産業のなかにあって、当時、独特の進化を続けて世界をリードしていた携帯電話、マンガ、アニメ、ゲームに焦点が当たり、サブカルチャー、コンテンツ、ソフト経済という流れで議論が広がっていった。

本書では「コンテンツで稼ごう」というテーマに沿って、「コンテンツ産業」、あるいは対象を少し広げて「ソフト産業」という括りで話を進めていきたい。

政府が、この一連の議論を「クールジャパン」という言葉で表象したのは的を射ていた。二〇〇〇年代初頭から使われ始めた「クールジャパン」という名のもと、実際に、省庁を超えていくつもの政策が打ち出され、社会的認知度も高まった。ただし、経済活動の括りとして「クールジャパン」という固有名詞を使っているのは、もちろん日本だけである。

すると近年、今度は「文化ＧＤＰ」という言葉をよく耳にするようになってきた。文化や芸術、あるいは創造といった分野を産業として捉え、その活動を数値的に把握して、産業や経済に及ぼす効果を測定・評価しようという国際的な動きのなかから登場してきた指標である。

背景には、一連のデジタル革命によって始まった、特に先進国において顕著な「モノからコトへ」「ハードからソフトへ」という産業構造の変化がある。

比較的に所得水準や貧富差に関係なく消費が行われ、景気にも左右されにくいのが文化・創造産業。それを新たな国家経済戦略に位置づけようとする動きが、先進国のあいだにあった。

そのためには、「文化・創造」を数値化して比較評価を可能にすることが必須である。「文化ＧＤＰ」という概念が登場し、世界共通の用語として定着しようとしている。

✻日本の文化・創造産業のＧＤＰは三一兆円

ここで実際に、文化庁の二〇一八年度「文化行政調査研究」における報告書（京都のシンクタンク、シィー・ディー・アイが作成）のなかで行われた推計による「日本の文化ＧＤＰ」を見てみよう。

「文化ＧＤＰ」の算出の基礎となる文化・創造産業の捉え方としては、オーストラリアの経済学者、デイヴィッド・スロスビー氏の同心円モデル（二〇〇一年）、英国国立科学・技術・芸術基金による拡張同心円モデル（二〇〇六年）、要素一覧型のユネスコ（国際連合教育科学文化機関）モデル（二〇〇九年）などがある。日本では、要素一覧型であるユネスコモデルに倣って、文化GDPを暫定的に算出する作業が始まった。

文化・創造は可視化されにくいので、もとよりその数値化は難しい。そのうえ、対象範囲や算出方法についての国際基準が開発途上である。日本が国際基準を採用するためには、我が国のGDPの基準改定が必要になる部分も多く、試行錯誤しながら算出が始まったばかりである。

いずれにしろ、ユネスコモデルに沿った集計によれば、「日本の文化GDP」は、二〇一六年で一〇兆四四三億円、同年GDP比一・九％という暫定値が公表されている（図表参照）。

また関連領域としては、観光が一三兆七九〇億円、スポーツが七兆五五九八億円で、これらを加えると、ユネスコモデルに基づく日本の文化・創造産業の全体は、およそ三一兆円、GDP対比で五・七％という規模に達している。

ユネスコの「文化GDP」では、検証可能な数字で集計するという目標がある。ここでの集計は、項目ごとに国民経済計算（SNA）に紐付けされ、さらに項目ごとの中間投入比率を用いて粗付加価値額（GDPへの直接の寄与額）を推定している。したがって、項目ごとにGDPへの寄与度が算定可能である。一方、項目間で多少の重複がある。本表の観光とス

ユネスコモデルによる日本の「文化GDP」

2016年	ユネスコモデルの文化領域	各領域の粗付加価値値（文化GDP、2016）	比率（%）	対GDP比	構成要素 *当集計に含めなかった要素
文化領域	A.文化遺産／自然遺産	1,185億円	1.2%		・ミュージアム（博物館など） *自然遺産 *遺跡、史跡 *文化的景観
	B.興行／セレブレーション	5,088億円	5.1%		・パフォーミングアーツ ・音楽 *フェスティバル、フェア、祝祭
	C.ビジュアルアーツ／工芸	2,715億円	2.7%		*美術（ファインアーツ） ・写真 ・工芸
	D.著作、出版／報道	2兆6,740億円	26.6%		・著作、出版 ・新聞・雑誌 ・その他印刷物 ・図書館 *ブックフェア
	E.オーディオ・ビジュアル／インタラクティブメディア	2兆6,542億円	26.4%		・映画、ビデオ ・テレビ、ラジオ（ネット配信、ライブ、ストリーミング含む） ・インターネット放送 ・ビデオゲーム（オンラインゲーム含む）
	F.デザイン／クリエイティブサービス	3兆8,174億円	38.0%		・ファッションデザイン ・グラフィックデザイン ・インテリアデザイン ・ランドスケープデザイン ・建築サービス ・広告サービス
	文化GDP合計	10兆443億円	100.0%	1.9%	
関連領域	G.観光	13兆790億円		2.4%	・国内観光供給財貨、サービス総額25兆1,170億円から中間投入額差引後、ユネスコモデルに依拠しつつ日本独自基準（2016、観光庁）
	H.スポーツ、レクリエーション	7兆5,598億円		1.4%	・スポーツGDP（2016、スポーツ庁） *アミューズメントパーク *キャンピング
	日本のGDP（2016、名目）	538兆5,328億円		100.0%	

出所：シィー・ディー・アイ作成の2018年度「文化行政調査研究」文化芸術の経済的・社会的影響の数値評価に向けた調査研究報告書の「文化領域」に「関連領域」を加えて筆者作成

ポーツ、レクリエーションには、五〇〇〇億円程度の重複がある。

いずれにしろ注釈は必要だが、「二〇一六年の文化GDPは一〇兆四四三億円であり、GDPへの寄与率は一・九％である」といった分析と、それに基づき、文化および関連領域のどの分野に重点を置くかといった政策議論が可能になる。

「文化GDP」は、工芸品、宝飾品、楽器、デザインなども含み、経済産業省が対象にしてまとめているコンテンツ産業より範囲が広い。それなのに、「文化GDP」の暫定値は約一〇兆円で、コンテンツ市場規模一二兆四〇〇〇億円（「デジタルコンテンツ白書2017」）より二兆円ほど少ない。このギャップは、「文化GDP」の算出過程で中間投入額を控除しており、その額が相当に大きいことが主な原因だ。

本書で「コンテンツ市場規模」として使っている「一二兆円」は、中間投入を控除していない総額表示である。このような売上高集計による総額表示は、他産業への波及効果（誘発効果）も含めて、その産業の経済全体へのインパクトを知るうえでは、極めて有用である。

たとえば二〇一五年の乗用車の売上総額は約一六兆円であるが、乗用車は中間投入比率が全産業のなかでも最上位の八二・五％なので、粗付加価値額（GDPへの直接の寄与額）は約二兆八〇〇〇億円である。しかし決して「なんだ、二兆八〇〇〇億円か」と侮（あなど）ってはいけない。

中間投入が大きいということは、他産業の需要を牽引しているということである。その波及効果は三〇〇％（自部門を除いても二〇〇％）と、全産業のなかでも一番大きい。つまり、中間投入を除くとＧＤＰ項目の「乗用車」の粗付加価値額は、組み立ての部分しか反映されていないことになる。乗用車産業の産業経済全体のなかでの重要度（影響力）を測るには、売上の総額表示を見ないとその実体を見失う。

図表に戻って、関連領域の「観光」の一三兆七九〇億円も「スポーツ、レクリエーション」の七兆五五九八億円も、中間投入を控除後の粗付加価値額である。

✳英仏を上回り米国に次ぐ日本の「文化ＧＤＰ」

「文化ＧＤＰ」という用語は、前出の「文化行政調査研究」に先立って二〇一五年度に行われた文化庁の委託事業、「文化産業の経済規模及び経済波及効果に関する調査研究事業」の報告書のなかで使われてから広まった。「文化ＧＤＰ」に関連して、「文化産業」「創造産業」、あるいは「文化・創造産業」についての考察も進んだ。

この調査研究では、欧州五ヵ国（英国、フランス、ドイツ、イタリア、スペイン）、北米二ヵ国（米国、カナダ）、アジア太平洋州三ヵ国（香港、シンガポール、オーストラリア）の一〇ヵ国を調査の対象としている。

報告書によれば、文化GDPの算出方法は二通りに分かれ、国によっていずれかの方式を採っている。①新たに文化・創造項目を特定して、国民経済計算とは別勘定で数字を積み上げていく方式（文化サテライト方式）、そして②従来の国民経済計算の既存勘定から付加価値法などの推計で文化・創造に直結する数字を抜き出していく方式（経済規模・構造分析方式）である。

それぞれに利点と課題があるが、文化サテライト方式を導入しているのは、一〇ヵ国のうち、米国、カナダ、オーストラリア、スペイン、香港。日本をはじめ英国、フランス、ドイツ、イタリア、シンガポールは、経済規模・構造分析方式を採っている。

つまり「文化GDP」は、国際的な概念ではあるが、その集計範囲や算出方法が国によって異なるというのが現状である。算出方法も開発途上であるために変更も多い。

そもそも、文化や芸術や創造という分野を産業（経済活動）という観点で捉えようとすると、国によって歴史的な背景や事情が異なるため、当然、その集計範囲が違ってくる。

たとえばイタリアは「ゲーム」を自国の「文化GDP」に含めていない一方で、「食・ワイン」を含めていたりする。「食・ワイン」を含めているのはイタリアだけだ。なんとなく納得するところではあるが、結構、恣意的でもあるようだ。時代によってもその範囲は変わってくると考えられる。

このように、「文化ＧＤＰ」の算出に当たっては、各国の事情に合わせて対象分野を増やすことができる。種目別で参加するスポーツ大会のようなものだ。

この報告書のなかでは、米国、英国、フランス三国について測定が行われているので、その「文化ＧＤＰ」を比較してみる。年次が異なるのだが、比較項目をできる限り揃えるため、筆者が若干の微調整を行った。

結果は以下のようなものになる。

米国：四八〇〇億ドル（二〇一二年）
英国：一一〇〇億ドル（二〇一三年）
フランス：一〇〇〇億ドル（二〇一一年）
日本：一五〇〇億ドル（約一六兆五〇〇〇億円、二〇一四年）

「文化ＧＤＰ」の算出に、現在のところ中国は参加していない。「文化ＧＤＰ」は、モノから離れた豊かさを希求し始めた先進諸国において、まず使われ出した指標なのである。しかし、どういう括り方であれ、日本が米国に次いで大きな「文化ＧＤＰ」を有していることに間違いはない。

❋「文化ＧＤＰ」が決める国家のかたち

ここまで述べてきたような理由により、現在のところ「文化ＧＤＰ」の大小を比較することには注釈を要するが、それでも「文化ＧＤＰ」を用いて文化・創造産業に世間の耳目（じもく）を集めることには、十分な意義がある。なぜなら、デジタル革命から時代は一気に進み、キーワードが「情報」から「文化・創造」に移行しているからだ。

「コンテンツで稼ごう」というのは、本書のテーマであるが、「コンテンツ産業」という経済活動の括り方は、世界的には一般化していない。一方、「文化ＧＤＰ」は、算出方法がまだ開発途上ではあるが、その意味するところは、「コンテンツ産業規模」よりも分かりやすい。しかも「文化ＧＤＰ」は各国の国民経済計算に紐付けされているので、一国経済への影響が見えやすく、国際的な議論を可能にしている。

このように「文化ＧＤＰ」は、各国が自国の文化・創造の経済的活力を国富の増大にどのようにつなげていくかという国家戦略をサポートするものだ。そして、文化・創造に注がれる人々のエネルギーを国を豊かにする動力に転換するには、文化・創造を測定評価し、経済的に集積することが不可欠である。

さらに、「文化ＧＤＰ」を計算する一連の作業、すなわち集計する範囲と算出方法の決定は、「国家のかたち」をどのように創っていくかというビジョンの問題であり、国際社会へのメッセージであり、アピールでもある。

本書で語ることは、文化・創造領域における日本の強みである。そしてその強みが、そこに、なぜあるのかを説いていくつもりだ。

歴史と文化、そして自然条件にも恵まれた日本。そして、何よりも凄い圧倒的なコンテンツの蓄積と創出力。これらの強みに加え、政策的に、新たな文化・創造産業の分野を開拓していけば、二〇三〇年の「文化ＧＤＰ」世界一位は、十分に実現可能である。

そしてそのとき、日本は、工業製品ではなくコンテンツの輸出大国になる。

第一章　世界経済はコンテンツが動かす時代に

✳東京ディズニーリゾートの凄いコンテンツ

東京ディズニーリゾートに、「食」のエンターテインメント・プログラムと謳（うた）っている「ディズニー・ダイニング・ウィズ・ザ・センス」というアトラクションがある。アイマスクで目隠しをしながらホテルのコース料理を楽しむというものである。併設の東京ディズニーランドホテルのレストランで、二月と八月（年によって若干の変更あり）の年二回開催される予約殺到の人気プログラムである。

「目隠しをしながら食事をする」というのは、一体どういうことか？

ダイニング・プログラム「美女と野獣」の案内を要約してみると、

〈ディズニー映画『美女と野獣』のビーストが住む城で振る舞われていた料理の数々を、マジカルシェフが魔法の力で再現！　誰もが耳にしたことのある、あの名曲を聴きながら、イマジネーション豊かにパーティーをお楽しみください。パーティーへの参加条件はただひとつ。〝シェフの魔法をキャッチできるアイマスクを着けること〟〉

とある。

参加者はレストランのウェイティングルームでアイマスクを着け、テーブル係に手を引かれて入場し着席する。一〇卓ほどのテーブルを、各テーブル一〇人程度で囲むのだが、参加者はテーブルも席も選べない。同伴者も、原則、別テーブルに誘導される。ディナーホールへの入場前から食事を終えてホールを出るまで終始、目隠しをしているので、視覚情報は一切遮断されている。テーブルに着いた参加者は、お互い顔も容貌も年恰好（としかっこう）も分からないまま、自己紹介をして会話を始める。そこに、『美女と野獣』のストーリーにちなんだ料理が次々と運ばれてきて宴が始まる。見知らぬ人たちとテーブルを囲み、目隠しをしたまま、係の誘導と手探りでコース料理を食していくのである。

ナレーションと音楽が、料理と会話をしっかりとサポートする。参加者は、想像力を最大限に膨らませてファンタジーの世界に入り込んでいく。やがてテーブルには、マジカル（不思議）な連帯感が生まれる。盛り上がったテーブルでは、参加者が食時中に相談して、ディナー終了後に落ち合う集合場所を決め、終わってから外で初顔合わせをして挨拶（あいさつ）し合うことも多いという。

ショーを観ながら食事を楽しむということなら、以前からディナーショーというものがある。ディナーショーは、食事にショーという従来のコンテンツをトッピングとして加えたものだ。商品としては、食事とショーという二つの要素の組み合わせである。主催者の目的は、「ディズニー・ダイニング・ウィズ・ザ・センス」と同じ、ホテルレストランへの集客だ。

しかし「ディズニー・ダイニング・ウィズ・ザ・センス」は、目隠しして食事するという行為そのものを、アトラクションに仕立てている。単なる組み合わせの目新しさではない。食事と一体化したひとつの新しいコンテンツを創り出している。食事（会食）を、その楽しさを作っている要素（味覚、聴覚、視覚、嗅覚、会話など）に分解し、再構成しているのだ。ディナーメニューをどうするか、ショーをどうするかではなく、ディズニーのアトラクション（作品）のなかに、料理と作品の要素を分解して放り込み、それを再構成しようという発想の転換がある。このあと本書で繰り返し述べていくが、分解と再構成が自在というのが、コンテンツの実利的な特長である。

この「ディズニー・ダイニング・ウィズ・ザ・センス」は、ディズニーを冠したアトラクションではあるが、運営会社であるオリエンタルランドが開発した日本独自のコンテンツである。二〇一三年に初代『美女と野獣』から始まって、『アラジン』『リトルマーメイド』『ライオンキング』、そしてリニューアル版『美女と野獣』と続き、二〇二〇年二月の最新プログラムは前年から続く『アナと雪の女王』である。

東京ディズニーリゾートへの来園客が少ない二月と、来園客は多いが夜まで園内で遊んでいて夕食時にホテルに戻ってこない八月に、自社が運営するホテルレストランへの集客のために、アイデアと議論を重ねた末に開発したコンテンツである。

一流のコース料理が出てくるので、当然、高めの価格設定にはなり、現在、東京ディズニーリゾートにおける最も高額のアトラクションとなっている。つまり時間当たり客単価が一番高い商品ということになるのだが、大ヒット商品となり、客足が低調であった二月と八月にホテルレストランを潤すドル箱コンテンツとなっている。

この「ディズニー・ダイニング・ウィズ・ザ・センス」のディナーホールでは、アイマスクを外したり、ずらしたりして覗(のぞ)き見る参加者はいない。

「アイマスクを外すと、魔法が解けてしまいますよ！」

魔法にかかりたい来客で、予約がいっぱいなのである。

一方、ラスベガスには「トニーとティナのウェディング」というショーがある。もともとはニューヨークのブロードウェイ、その、とあるイタリアン・レストランで繰り広げられていたショーである。結婚式のパーティーに招待されたゲストという設定で、食事をしながらパーティーを楽しむというディナー付きアトラクションである。参加者が招待客を演じる、一種のロールプレイでもある。

このショーは、料理ありきではなく、ウェディングという題材を劇場型アトラクションに仕立てている。ラスベガスのショーとしての平均的な価格設定なので、料理におカネはかかっていない。

顧客参加型のコンテンツを創るというのが出発点であり、料理は後付け、料理で人気を博しているわけではない。それでも、ショーを楽しみながら食事もできればうれしいという来店客で人気の、ロングラン・アトラクションである。

食事とショーの組み合わせを時代順に並べてみれば、古いほうから、ディナーショー、「トニーとティナのウェディング」「ディズニー・ダイニング・ウィズ・ザ・センス」となる。いずれも料理という「モノ」に、ショーやアトラクションといった「コンテンツ」が絡むことで、新たな需要を生み出している事例である。

料理が先かショーが先かというのは、大した問題ではない。大事なポイントは、コンテンツに絡めると、モノは無限の売り方ができるということである。売りたいモノは決まっているので変更自在というわけにはいかないが、組み合わせたり融合させたりするコンテンツは無限の選択が可能である。

コンテンツがモノに付加価値を与えて「別モノ」（新しいコンテンツ）にトランスフォーム（変換）しているのである。

「コンテンツ」は時代のキーワードだ。

「ディズニー・ダイニング・ウィズ・ザ・センス」も「トニーとティナのウェディング」も、ショーとして見たとき、主役は来店客である。いわゆる顧客参加型なのだが、顧客が飛び入りしたり手拍子を打ったりという部分参加ではなくて、最初から最後まで、顧客が創り出しているコンテンツなのである。両者とも、このあと本書で触れる「消費者のリアクションがコンテンツを創造し拡大再生産していく」という事例である。

❋コンテンツを推進する日本政府の事情

ところでコンテンツとは、本来は、「中身」「内容」という意味の単語であるが、今日では一般に、テレビやインターネットなどで伝達される「情報の中身」という意味で使われている。個々の中身をコンテンツと呼ぶが、あらゆる中身をまとめて表す総称としても定着している。日本政府のレポートには、「コンテンツ産業」という言葉が頻繁（ひんぱん）に使われている。海外でも、「contents（コンテンツ）」という言葉は、普通に「中身」「内容」という単語として使われている。

ところが、「content industry（コンテンツ産業）」という熟語は、英語として意味は通じるのだが、あまり使われてはいない。筆者は、米国で二〇一四年まで一〇年以上ビジネスに携わったが、日本向けの資料以外では、「コンテンツ産業」というような総称的な使い方に出会ったことはない。せいぜい、この音楽CDを売るために広告宣伝をどう展開するか？といった具体的局面で、「content strategy（コンテンツ戦略）」という熟語が使われるくらいのものだ。

海外では、「コンテンツ産業の未来」などという、日本にあるような使われ方はしていないのである。「コンテンツ」という括りで総合的に議論するよりは、メディア・エンターテインメント、ライブ・エンターテインメント、アートという、もう少し具体的な括りでの議論が一般的である。

なぜ、日本はコンテンツという言葉を頻繁に使うようになったのだろうか。

そもそも、コンテンツという言葉を積極的に使い始めたのは政府である。いま政府の報告書には、省庁を超えて、「コンテンツ」という言葉がいたるところに登場する。内閣府知的財産戦略推進事務局「コンテンツ振興」、経済産業省「コンテンツ産業国際展開」、文部科学省「教育用コンテンツ開発」、国土交通省「最先端観光コンテンツ　インキュベーター事業」、農林水産省「多様なコンテンツを活用した日本食魅力発信」など、「コンテンツ」オンパレードである。

政府による「コンテンツ」という用語の使用は、二〇〇一年、中央省庁再編に伴い、経済産業省に文化情報関連産業課（メディア・コンテンツ課）が設置されたあたりから始まる。二〇〇二年には内閣総理大臣の下に知的財産戦略会議が立ち上がり、二〇〇二年「知的財産基本法」、二〇〇四年「コンテンツの創造、保護及び活用の促進に関する法律（コンテンツ

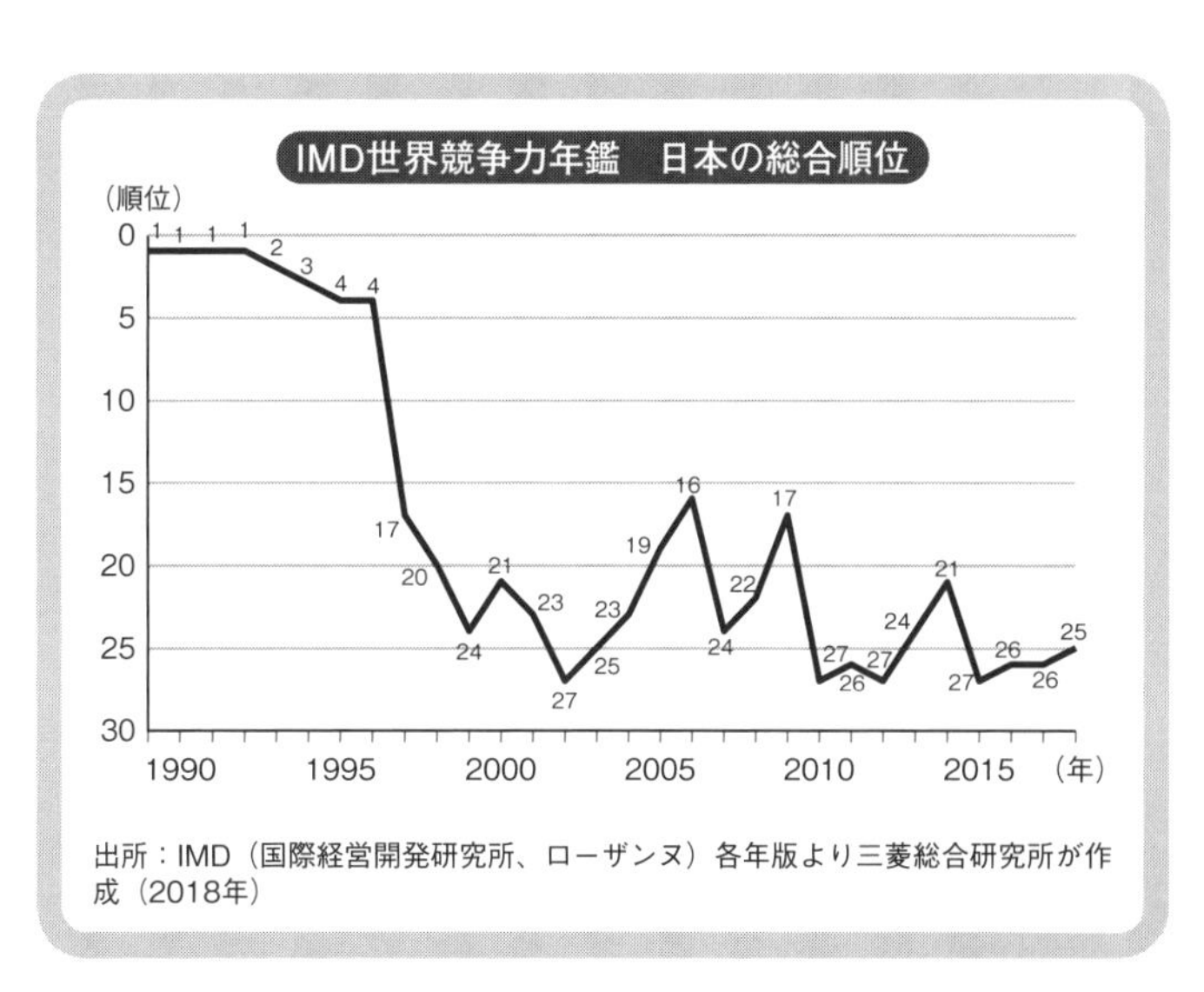

出所：IMD（国際経営開発研究所、ローザンヌ）各年版より三菱総合研究所が作成（2018年）

振興法）」が公布された。この流れが、やがて国策「クールジャパン戦略」へとつながっていく。

　バブル崩壊から一〇年を経て二一世紀、IMD（国際経営開発研究所、ローザンヌ）の世界競争力年鑑の総合順位で、日本は一九九二年の一位から二〇〇二年には二七位まで転落していた。後に「失われた一〇年」と呼ばれた一九九〇年代である。一九九三年に自由民主党が下野、政治が混迷し、二〇〇一年に小泉純一郎内閣が発足するまで安定政権がなかった時代である。

　一九九七年に北海道拓殖銀行や山一證券の破綻が続いて金融システムの不安が表面化し、順位が一気に急落した。その後も不良債権や財政赤字が数字的に顕在化し、順位をさらに下げることになった。いずれにしても、あらゆる角度から日本の「低迷」が見て取れる時代だった。

❋コンテンツ立国で日本再生を

日本政府は、国際競争力ランキングの急落という事態に敏感に反応した。

ここに、日本再生プランの目玉として、「コンテンツ」が登場するのである。

高度成長は完全に過去のものとなり、政治的不安定と国力の低落傾向が常態化したまま日本は二一世紀に突入した。いったい、どのようなビジョンを持って、押し寄せる課題に取り組み、国を創っていけばいいのか？　こうした議論がこの時期に盛んに行われた。

情報技術革新では、米国はじめ先進国に後(おく)れを取り始め、一方、得意だった製造業も新興国に押され、日本経済は迷走しながら将来の展望を模索していた。

そこに登場した日本再生議論のテーマは、大きくは二つ、日本の価値の再発見と、新たな市場の開拓である。

そして、経済が低迷低落しているなかで元気だったのが、携帯電話（携帯）とアニメとゲームである。

日本の携帯電話は二〇〇〇年代に入ってますます進化し、今日のスマートフォン（スマホ）の一部機能を先取りしていた。当時、電話とテキストメッセージ以上の機能を備えていた携帯は、世界中で日本の携帯だけだった。海外のトレードショーなどで、日本製の携帯を使ってアニメを観せたり、簡単なゲームのデモをやったりすると、黒山の人だかりができて、歓声が上がっていた。

同時期（二〇〇〇年代前半）、制作本数では世界一であった日本のアニメは、『ポケットモンスター（ポケモン）』を筆頭に、世界中で放映されていた。日本由来のビデオゲームは世界に市場を広げ、ゲームソフト市場で五〇％近いシェアを持っていた（出所：英「ガーディアン」紙）。一九九六年の販売開始から九年間で、ポケモンのゲームソフトは全世界で累計一億四〇〇〇万本を売り上げ、カードゲームのカード売上は累計一四〇億枚を超えた（出所：任天堂アメリカ資料）。ちなみに、二〇一九年九月で累計出荷数は、ゲームソフトが三億四六〇〇万本、カードは二八八億枚以上である（出所：ポケモン・カンパニーホームページより）。

アニメとゲームにとどまらない。マンガを筆頭に、日本には、さらにユニークなオタク文化があり、斬新なファッションがあった。一方で伝統芸能や「食」など日本固有のウリもあり、ロボット開発などの先端科学技術もある。

こうして再発見した日本の価値を包括して日本を再定義しよう、そして再定義した価値を海外に売り込もう、こうした日本再生議論が持ち上がったのである。この議論において、「コンテンツ」は使い勝手のいい絶好のタイトル(標語であり旗印)となった。

政府は、マンガ、アニメ、ゲームからファッション、伝統芸能、先端科学技術までを「コンテンツ」という言葉で括り、日本の新しい産業の柱にしようと考えた。コンテンツ立国という言葉すら使われた。

❋すべてのコンテンツを一覧表にすると

「コンテンツ」という言葉は便利である。その意味は広く、使用目的に合わせて解釈・定義が可能である。そして日本においては、そもそもは政府がこの言葉を使い始めたのだが、実際、期待以上に幅広く利用され、定着している。

いまコンテンツがどのように定義されているかを見てみよう。

古くは、議員立法による「コンテンツの創造、保護及び活用の促進に関する法律」(コンテンツ振興法、二〇〇四年)において、コンテンツを次のように定義した。

〈この法律において、「コンテンツ」とは、映画、音楽、演劇、文芸、写真、漫画、アニメーション、コンピュータゲーム、その他の文字、図形、色彩、音声、動作、映像、もしくはこれらを組み合わせたもの、または、これらに係る情報を電子計算機を介して提供するため

コンテンツとメディアの分類

コンテンツ区分＼メディア区分	パッケージ	ネットワーク	劇場・専用スペース	放送
動画	DVD、ブルーレイ（セル、レンタル）	動画配信	映画 ステージ（ミュージカル、演劇など）	地上波 BS CS CATV
音楽・音声	CD DVD、ブルーレイ（セル、レンタル）	音楽配信	カラオケ コンサート	ラジオ
ゲーム	ゲーム機向けソフト	ゲーム機向けソフト配信 オンラインゲーム ソーシャルゲーム	アーケードゲーム	
静止画・テキスト	書籍 雑誌 新聞 フリーペーパー／マガジン	電子書籍 電子雑誌 各種情報配信サービス他		
複合型		インターネット広告 モバイル広告		

出所：「デジタルコンテンツ白書2019」に掲載の図表から経済産業省経済解析室が作成（筆者がマイナーな変更を加えた）

のプログラムであって、人間の創造的活動により生み出されるもののうち、教養または娯楽の範囲に属するものである（一部読みやすく書き換えた）〉

このようにコンテンツを例示し、人間の創造的活動から生まれ、教養または娯楽の範囲に属するものとした。

電通総研の「情報メディア白書２０１７」では、この白書の構成を、従来のメディア別分類を廃し、コンテンツ別分類に変更した。そこでは、コンテンツの構成要素を分類し、以下のように列挙している。

〈新聞、出版、音楽、劇映画・ビデオソフト、アニメーション、ゲーム、写真、ラジオ・テレビ、衛星放送・ケーブルＴＶ、通信（着うた）、オンラインサービス（配信、ＷＥ

B)、広告、通信販売、イベントなど〉

そして、右のイベントのなかには、興行やステージはもちろん、見本市、テーマパーク、国際会議などに加え「スポーツ」までを含めている。プロ野球やJリーグだけではなく、東京オリンピック・パラリンピックを控え、過去の他国でのオリンピック収入の推移も掲載し、議論の対象としている。イベントの「中身」は、すべてコンテンツというわけだ。

このように、コンテンツの意味するところはきわめて広く、どのようにでも定義が可能である。結局のところ、コンテンツをどのように定義するかは、何をテーマに、どのような議論をするのかということに拠ってくる。

一般財団法人 デジタルコンテンツ協会の「デジタルコンテンツ白書2019」では、コンテンツをメディア区分とコンテンツ区分とで対照表示している。これは、一般的に「コンテンツ」と呼ばれるものの一覧である。

❋「おもてなし」もコンテンツ

本書では、何をコンテンツに含めるか、を考えるときに、二〇世紀カナダの文明評論家マーシャル・マクルーハンの言説にしたがっている。

マクルーハンは、自説の「メディア論」を展開した。そのなかで、メディアとコンテンツの関係について、次のように述べている。

① メディア（媒体）とは「人間と環境のあいだをつなぐ、あらゆる中間物」である。
② 新しいメディアが生まれると、既存のメディアをコンテンツとして取り込む。たとえば、文字は言葉を乗せるメディアであるが、出版というメディアが生まれて文字は出版のコンテンツになった。出版（モノ）は映画というメディアのコンテンツである。テレビというメディアのなかでは、映画はコンテンツである。
③ どのメディアに乗せて発信するかによってコンテンツの受け取られ方は変わる、という意味で、メディアはメッセージである。たとえば、お礼の言葉を、電話で伝えるか、手紙で伝えるかによって、意味が変わってくる。

二〇一八年当時、ネットフリックスの作品がアカデミー賞の候補になりかかったとき、スティーブン・スピルバーグ氏は、ネットフリックスの作品は（映画館での公開を前提にせず、テレビというフォーマットでの視聴を前提にしている以上）、テレビドラマの賞であるエミー賞として扱うべきだと論じた。映画かテレビかというメディアの違いがメッセージになった例である。現実には、このときから、ネットフリックスもアマゾンもアカデミー賞の常連となっていく。

マクルーハンは、「メディアはコンテンツでありメッセージである」と論じた。「メディア=コンテンツ=メッセージ」ということだ。

「水を発見したのが誰であれ、それは(水という環境のなかに棲む)魚ではない」というマクルーハンの言葉がある。地球を発見(姿を目で確認)しようとすれば、地球という環境の外に出なければならない。

さて、本書では、本来の語義に近くシンプルに、かつ広く援用できるように、「コンテンツとは、『情報』もしくは『情報化されたもの』の中身」とする。

テレビやインターネットが提供する情報の中身であるニュースや映画はもちろん、最新のテクノロジーが蓄積・分析する医療診断情報や天気情報も、コンテンツである。

球場で観戦中の観客にとってサッカーはコンテンツではないが、テレビで観戦している視聴者にとって、サッカーはコンテンツである。メディア(媒体)のなかで情報化されたものは、スポーツであれ何であれ、コンテンツなのである。

登山客にとっての富士山はコンテンツではないが、旅行雑誌の読者にとってはもちろん、日本の観光資源としてアピールしたい旅行社や観光庁にとっても、発信情報の中身である富士山はコンテンツである。

観光資源としてアピールするならば、おもてなしや親切も、発信する情報として、日本が誇るコンテンツである。

すなわち、コンテンツとは、「情報やサービスとして利用される、情報の中身や情報化されているモノやコト」を意味する。ソフトかハードかということではなく、情報の中身として扱われているかいないか、ということである。

具体的には、情報の中身という意味で、コンテンツの範囲を最も広く捉えた、前掲の「情報メディア白書２０１７」の定義に準じる。

――コンテンツとは、新聞、出版、音楽、劇映画・ビデオソフト、アニメーション、ゲーム、写真、ラジオ・テレビ、衛星放送・ケーブルＴＶ、通信（着うた）、オンラインサービス（配信、ＷＥＢ）、広告、通信販売、イベントなど、人間の感性に作用して感受される情報・サービス全般をいう。

イベントには観光やスポーツも含み、観光資源やｅスポーツもコンテンツに含める。観光資源としての富士山も立派なコンテンツであるというのは、前述した通りである。

本書では、このようなコンテンツの概念を前提に、コンテンツを取り巻く「実態」を把握し理解することから始め、次に、コンテンツが「未来」に与える影響を予測しながら、日本がそのメリットを享受するための議論をしていきたい。

国際的には、本書の「コンテンツ」とほぼ同じ分野を、「文化・創造産業」という括りで調査研究する試みが進んでいることは序章でも触れた。ユネスコが二〇〇九年に発表した「文化・創造産業」のモデルのなかでも、文化領域と併せて関連領域として、「観光」と「スポーツ」を含めている。本書では、後半の「文化GDP」の議論のなかで、この部分を紹介していく。

❋ファーウェイのスマホが絶対不利な理由

ネット社会が到来した「いま」、あなたの生活に絶対不可欠なものは？　と問われたら、一番に挙がってくる答えは、おそらく「スマホ」だろう。

新聞は取らない、テレビも観ないという若者は多い。固定電話は、もはや過去の遺物となりつつある。パソコンは仕事の道具であって、生活の道具ではない。会社に行けばパソコンは使えるし、必要なら会社が貸与してくれる。

スマホ一台で、プライベートの生活をほぼすべて賄(まかな)うことが可能だ。外部からの情報はすべてスマホで得ることができるし、アドレス帳や金融口座などのプライベートな情報もすべてスマホで管理できる。待ち合わせ場所には、メモも取らず地図がなくても行くことができるし、その周りの様子を事前にチェックすることもできる。時間に遅れないために何時に出発すればいいかも教えてくれる。

　接続環境さえ確保できれば、ガイドブックもキャッシュも持たず、スマホ一台だけを持って世界一周も可能だ。

　スマホ片手に消費カロリー数を計算しながらランニングする人をよく見かけるし、スマホで健康管理をしている人も多い。

　今日、ほとんどの人がスマホを肌身離さず持ち歩いている。もはやスマホなしでは生きていけないという人が結構いるはずだ。

　さて、そんなスマホの通信機器としての世界市場は、二〇一九年の出荷台数で、サムスン電子（韓国）、ファーウェイ（中国）、アップル（米国）の三社で、市場の約五割を占めている（出所：米国ＩＤＣ資料）。

　あなたが、この三社のうちのいずれかのスマホを購入しようと考えたとする。もし、そのなかの一社のスマホでは、グーグルのソフトが使えない、グーグルマップもユーチューブも使えないということであったら、その一社のスマホを買うだろうか？

　世界市場を席巻（せっけん）するこの三社のスマホのいずれかが、技術的な機能や操作性でどれほど優れていたとしても、他社には搭載されている人気ソフトがなかったら、おそらく購入することはないだろう。購入動機は、ハードの機能よりも、搭載されるソフトの魅力に拠って大きく左右される。ソフトがハード購入の決め手になるのである。

スマホの世界出荷台数で断然一位のサムスンを追って、アップルを抜き二位に躍り出た中国通信機器メーカーのファーウェイは、米中の貿易戦争で米国政府の標的となっている。二〇一九年五月に米国政府が発動した輸出禁止措置で、九〇日間の猶予期間を経て、米国グーグルの提供するソフトが一切使えなくなった。Gメールはもちろんだが、グーグルマップやユーチューブも使えない。

中国国内では、もとよりスマホにグーグルのソフトを搭載することは禁止されているので売上に大きな影響はないだろうが、海外での販売には大きな支障が出る可能性が高い。さらに、コトはグーグルだけにとどまらない。他の米国由来のソフトも禁輸対象になることが予想される。ファーウェイのスマホが技術的にどれほど優れていたとしても、利用できるソフトに明らかな劣後があっては、海外では勝負にならない。

利用者が求めているのは、スマホ本体ではなく、そのなかにある「ソフト＝情報」と「サービス」なのである。

❋アマゾンプライムが値上げできるわけ

世界中で「経済のソフト化」が進んでいる。

経済の用語で、農林水産業・製造業・小売業などモノに関わる産業経済を「ハード」、サービス・情報に関わる産業経済を「ソフト」と呼ぶことがある。

「経済のソフト化」とは経済全体に占めるサービス・情報の割合、つまり「ソフト」の割合が大きくなっている状況に対して使われている。スマートフォンはハード、アプリやＬＩＮＥはソフトということである。

この「経済のソフト化」は、特に目新しい話題ではない。周知の事実として、かなり前から進行している。

パソコンや携帯端末、スマートフォンなどのハード（モノ）は、もう二〇年も前から新機種導入と値崩れを繰り返し、価格は不可逆的に低下している。一方、そのハードに乗る情報やオンラインサービス、ネットワークをコントロールするＯＳソフトなどは、更新を続けながら価格を維持している。

通信機器に限らない。すべての分野でハードは、売れれば売れるほどに、普及が進めば進むほどに、価格は下がっていく。普及による収穫逓減に加えて、技術革新による代替わりと技術浸透の加速化による類似商品の出現などで、ハードは、価格決定権と競争力を短期間のうちに失っていく。

ところがソフトは、その逆で、売れれば売れるほどに、普及が進めば進むほどに、陳腐化や不具合を修正しながら更新し、価値を高め、価格の上昇さえ珍しくない。

実際、アマゾンは二〇一九年四月にアマゾンプライムの年間料金を二五％も引き上げた。アマゾンのプラットフォーム利用者が増えることで情報が集積し、利用者にとっては汎用性と利便性が高まる。限界効用が逓減していない（消費者の満足度が減退しない）どころか、主観ではあるが逓増していると感じる利用者もいるからだ。併せて、利用者のアマゾン依存度が大きくなっているので、価格弾力性が小さくなっている（価格を上げても解約する客が少ない）。

一部で、価格と競争力を維持しているハードも存在するが、実態はハード専用ソフトが人気であったり、汎用ソフトとの相性が良かったりで、ソフトに頼っていることが多い。「ソフト」＝「コンテンツ」というわけではないのだが、アプリやＳＮＳなど、「ソフト」に占めるコンテンツの割合は大きい。いまなぜコンテンツなのかを語るには「経済のソフト化」というのは重要なキーワードである。

＊時価総額ランキングに見る経済のソフト化

株式時価総額ランキングで、経済のソフト化を見てみよう。

株式時価総額とは、株価に発行済み株式総数を乗じた金額である。株価は企業の将来価値

世界時価総額ランキング変遷　TOP10

	1989年12月	1999年12月	2009年12月	2019年12月
1	NTT 通信	マイクロソフト ソフトウェア	中国石油天然気 エネルギー	サウジアラコム エネルギー
2	日本興業銀行 銀行	ゼネラル・エレクトリック 総合（電機・航空機等々）	エクソンモービル エネルギー	アップル IT製品・ソフトウェア
3	住友銀行 銀行	NTTドコモ モバイル通信	マイクロソフト ソフトウェア	マイクロソフト ソフトウェア
4	富士銀行 銀行	シスコシステムズ コンピューター機器	中国工商銀行 銀行	アルファベット（グーグル） インターネット
5	第一勧業銀行 銀行	ウォルマート 小売り	ウォルマート 小売り	アマゾン ネット小売り・Webサービス
6	三菱銀行 銀行	インテル 半導体	中国建設銀行 銀行	フェイスブック インターネット
7	エクソンモービル エネルギー	NTT 通信	BHPグループ エネルギー（豪英）	アリババ ネット小売り
8	ゼネラル・エレクトリック 総合（電機・航空機等々）	アルカテル・ルーセント 通信	HSBC（香港上海銀行） 銀行	バークシャー・ハサウェイ 投資会社
9	東京電力 エネルギー	ノキア 通信	ブラジル石油公社 エネルギー	テンセント インターネット
10	IBM コンピューター製品・サービス	ファイザー 製薬	アルファベット（グーグル） インターネット	JPモルガン・チェース 投資銀行

各種データより筆者作成

も含めた市場の評価。企業の将来価値を左右するのは、人々が予測する世界の近未来像に、その企業がどう関わって、どう貢献していくのか、という期待である。したがって時価総額ランキングは、そのときどきの経済の状況だけでなく、社会が向かっている方向を示している。

株式時価総額ランキングを、一九八九年、一九九九年、二〇〇九年、二〇一九年の一〇年単位で比較してみよう。この比較表で読み取れることがいくつかある。

ひとつ目は、変遷は激しいということである。三〇年にわたりTOP10（テン）にランクインした企業はない。二〇年にわたってランクインしている企業は、マイクロソフト一社である。一〇年ごとに八割が入れ替わっている。

基幹産業の入れ替わりは、技術の進歩や時代の変革とともに起こる必然的な代謝である。ランキングが以前と様変わりしたとして何の不思議もない。

二つ目は、それでも変化は、いつも方向性を持っているということ。単なる下克上や既存勢力の浮沈による変化ではない。表で見る限り、二〇〇九年までの世界の産業経済は、銀行とエネルギー関連企業が主導していたことが分かる。カネとエネルギーが「モノ造り」に向かっていたということである。「製造業中心の時代」を象徴している。

三つ目が、そのなか（二〇〇九年までの製造業中心の時代）にあって、経済はコンピューターと通信に向かっていることが見て取れること。「情報化時代」へのシフトが始まっていたのだ。

四つ目は、二〇一九年、世界は「製造業」を過去のものにし、「情報化」も一気に通過して、「ネット社会」という新時代に突入していること。さらに、このネット社会の産業経済は、カネとエネルギーを従来ほどには必要としない、ということもよく分かる。産業経済を動かす前提条件が変わってしまった。

経済は、もはや完全にソフト化している。二〇一九年時価総額ランキングの上位一〇社の一位には、同年末に上場したばかりのサウジアラビア王国の国有石油会社サウジアラコムが、いきなり登場した。二位以下は、アップル、マイクロソフト、アルファベット（グーグル）、アマゾン、フェイスブック、アリババ、ひとつ飛んでテンセントと続く。一〇社中七社が「情報」、二社が「投資」である。サウジアラコム以外の九社が情報・投資（サービス）、すなわち「ソフト」である。

従来、産業経済を語るときは、基本的に製造業に代表されるハードが議論の中心だった。それは、「ハード」（モノ造り）こそが需要を創出している、という刷り込みのせいである。ところがいま、世界経済、国際社会のベクトルは、間違いなく「ソフト」を指し示しているのだ。

経済がソフト化するということは、サービスや情報に関わるビジネスが社会をリードしていくということである。サービスや情報、その中身である「コンテンツ」の時代がやって来たということでもあるのだ。

モノからソフトへという流れの一方で、ソフトからモノへという逆方向の経済も生まれている。医療ベッド（モノ）は体調管理機能（ソフト）を搭載して家庭に入り、計測データ（ソフト）を分析して健康機器（モノ）の販売につなげる。ソフトがハードと相まって、次々に新しい価値や富を生み出しているのだ。

こうした経済のソフト化は必然である、ともいえる。

ひとつには、モノの飽和がある。すでに我々の周りにはモノがあふれ、もはや必要なモノ

（ハード）は少なくなってきているという事実がある。

もうひとつは、モノの所有が不要になっているということ。技術革新とインターネットの普及で、本やCD、DVDはオンラインサービスに置き換わった。シェア経済の出現によって、車やパーティードレスなどを所有する必要もなくなってきている。人間の生活様式が変化し、所有に対する執着や欲望が小さくなってきたのである。

モノが減退するなかで、人間の欲求の対象がハード（物質的価値）からソフト（無形的価値、情緒的価値）に移行しているのだ。

そして、ソフトの価値を決定づけているのが、その中身である「コンテンツ」だ。コンテンツによる説得力と訴求力が、いまの時代の価値と富の源泉なのだ。

❋日本のコンテンツ産業の市場規模は

では、こうしたコンテンツ産業の市場規模は、どのくらいのものになるのか？「デジタルコンテンツ白書２０１９」によると、二〇一八年の日本のコンテンツ市場規模は、約一二兆七〇〇〇億円である。

この試算表では、縦軸をコンテンツ別、横軸をメディア別に並べ、項目ごとの年間総額を集計している。縦軸のコンテンツ別は動画、音楽・音声、ゲーム、静止画・テキスト、複合

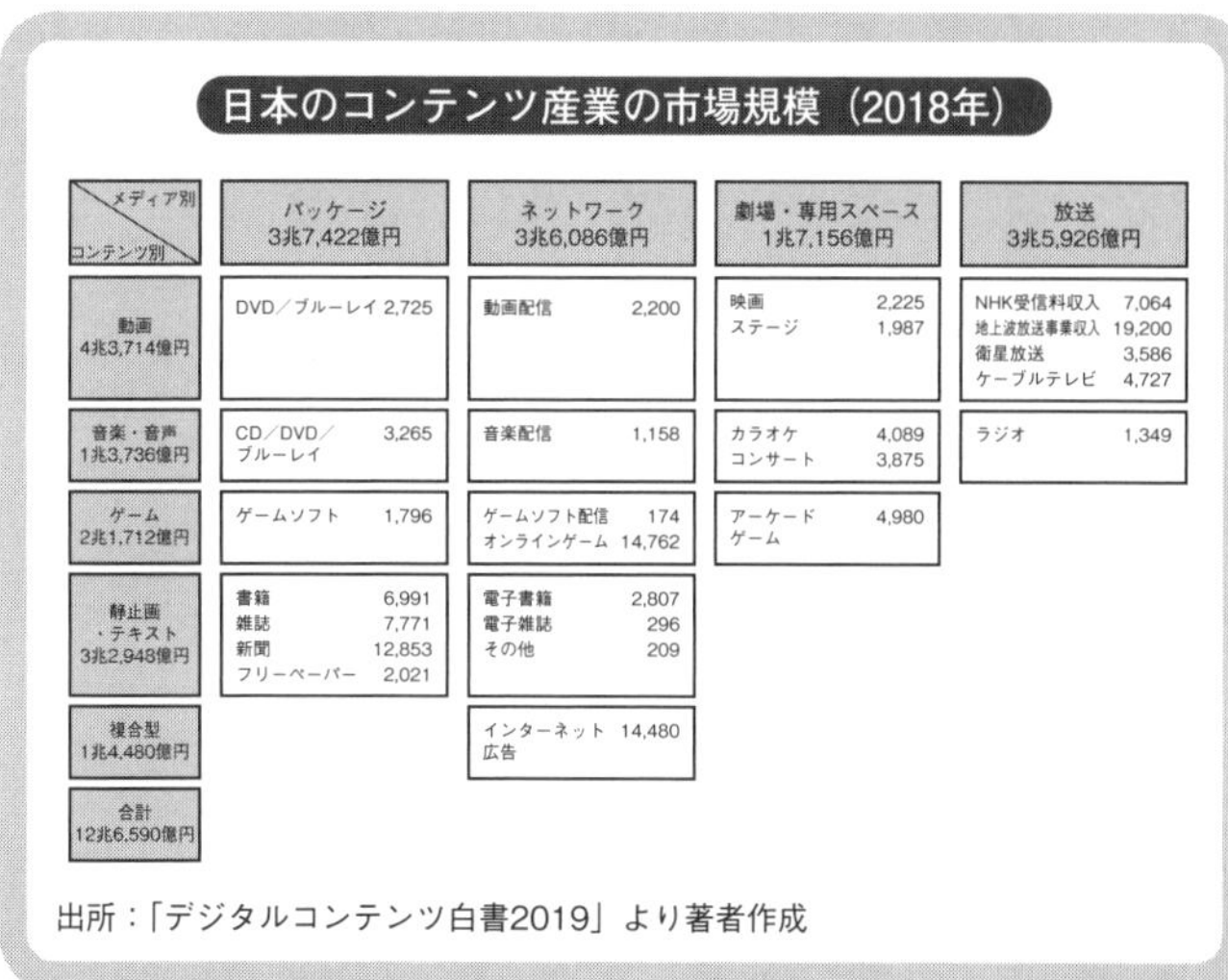

日本のコンテンツ産業の市場規模（2018年）

コンテンツ別＼メディア別	パッケージ 3兆7,422億円	ネットワーク 3兆6,086億円	劇場・専用スペース 1兆7,156億円	放送 3兆5,926億円
動画 4兆3,714億円	DVD／ブルーレイ 2,725	動画配信 2,200	映画 2,225 ステージ 1,987	NHK受信料収入 7,064 地上波放送事業収入 19,200 衛星放送 3,586 ケーブルテレビ 4,727
音楽・音声 1兆3,736億円	CD／DVD／ブルーレイ 3,265	音楽配信 1,158	カラオケ 4,089 コンサート 3,875	ラジオ 1,349
ゲーム 2兆1,712億円	ゲームソフト 1,796	ゲームソフト配信 174 オンラインゲーム 14,762	アーケードゲーム 4,980	
静止画・テキスト 3兆2,948億円	書籍 6,991 雑誌 7,771 新聞 12,853 フリーペーパー 2,021	電子書籍 2,807 電子雑誌 296 その他 209		
複合型 1兆4,480億円		インターネット広告 14,480		
合計 12兆6,590億円				

出所：「デジタルコンテンツ白書2019」より著者作成

型に分類している。そして一二兆七〇〇〇億円という数字は、各コンテンツの生産者が、直接販売したコンテンツの金額の合計である。

一二兆七〇〇〇億円という数字は、小さい数字ではないが、残念ながら同条件で集計した二〇〇九年の一一兆八五〇〇億円から一兆円も伸びていない。日本のコンテンツ市場は、このところ、ほぼ一二兆円の横ばい状態なのである。

勢いの比較という意味で、コンテンツと並んで政府が推進するインバウンドの旅行消費額、すなわち訪日外国人による観光収入を見てみよう。観光庁の発表によれば、二〇一八年には約四兆五一〇〇億円、コンテンツ市場の三分の一程度であるが、七年連続で増加を続けており、毎年一七〜一八%の成長を続けている。世界的な日本ブームが訪れ、その効果が観光収入には顕著に表れているのだが、コンテンツに関しては、ブームの恩恵を取り込んでいるとはいえないようだ。

筆者は政府の主催するコンテンツ会議に参加することがある。そのたびに、国家戦略としてコンテンツ産業を推進しようとする政府の意気込みと、コンテンツ事業者の強気の展望を目の当たりにする。しかし、その「熱」と、議論のスタートラインとして用いられる「変わらぬ市場規模一二兆円」という数字とのあいだに、いつもギャップを感じている。国家戦略としてコンテンツを議論するには、横ばいの一二兆円という数字は迫力不足だ。

本書のテーマは「コンテンツで稼ごう」である。実際、米国のウォルト・ディズニー・カンパニー(ディズニー)は、買収を通じてコンテンツ・ビジネスを伸ばし、二〇〇六年から二〇一五年までの一〇年間で売上を約二兆円も増やして、二〇一八年九月期には年間売上高約六兆五〇〇〇億円(約五九四億ドル)を記録した。コンテンツの巨人ディズニーとはいえ、コンテンツ企業一社の数字である。日本の国全体で横ばいの一二兆七〇〇〇億円という数字が、どうにもピンと来ないのである。

ちなみに、ディズニーの二〇一九年九月期の売上高は、同年に買収が完了した21世紀フォックスの効果もあり、六九五億ドル(約七兆六〇〇〇億円)であった。

実際に日本の社会と産業経済の動向を見ると、コンテンツに絡む話題や議論が年々増えてきてはいるのだ。以前からジブリ作品や『ドラえもん』や『ONE PIECE（ワンピース）』など、大ヒットしたコンテンツが新聞の社会面や文化面の話題になることはあった。ところが最近は、作品単位の話題を超えてコンテンツが、産業面や国際面、時には国家戦略として新聞の一面で取り上げられるようになった。大きな議論になっているのである。

インバウンドのアニメ需要、海外でのジャパン博覧会、政府主導による海外都市でのジャパン・ハウス、あるいはネットフリックスやアマゾンを巡る国内の動画配信の動向など、コンテンツに関連するニュースは、毎日のように新聞紙上を賑わしている。

❋コンテンツの経済的インパクトを再検証

コンテンツは、紙面の話題にとどまらず、実際に我々の生活や家計のなかでも、すでに相当大きな地位を占めている。電車のなかでは、実に大勢の人がスマホを見ている。メールやSNSはもちろんだが、マンガとアニメとゲーム、あとはネットサーフィンだ。スマホで料理のレシピを見て、スマホのアプリで家計簿をつけている主婦も多い。我々は、コンテンツを漁（あさ）りながら一日を過ごしている。

このように、実感として確認できるコンテンツの浸透度合いと、市場規模一二兆円台での横ばい状態のあいだにあるギャップ（違和感）を、どう理解したらいいのだろうか。

そこで、一二兆七〇〇〇億円のもとになった生産GDPではなく、支出GDPを使って、「消費」の観点からコンテンツを検討してみよう。

すると、まったく違った景色が見えてくるのである。

まず、二〇一七年度の日本の名目GDP五四七兆円の内訳は、民間最終消費支出が三〇三兆円、政府最終消費支出が一〇七兆円、国内総資本形成（投資）が一三一兆円、残りが「輸出－輸入」である。民間最終消費支出三〇三兆円がGDPの約五五％を占めている。

このうち家計最終消費支出、いわゆる「個人消費」は二九七・一兆円（民間最終消費支出との差額六兆円はNPOなど「対家計民間非営利団体」の支出）で、その形態別内訳は、家具、自動車、電化製品などの耐久財が八・三％、衣服、食器、書籍などの半耐久財が五・三％、食料品、光熱費などの非耐久財が二七・三％、そして交通費、保険などを含むすべてのサービスが五九・一％となっている。

ここでは、非耐久財とサービスを合わせると八六・四％、金額ベースで二五七兆円を占めている。これが、「ソフト経済」ということになる。光熱費や交通費なども含まれており、一括りの議論はできないが、我々の経済は、すでにソフト中心になっていることが見て取れる。

2017年　国内家計最終消費支出の構成

構成項目	（兆円）	（%）
耐久財	24.6	8.3
半耐久財	15.5	5.3
非耐久財	81.2	27.3
サービス	175.8	59.1
合計	297.1	100

出所：内閣府「国民経済計算（GDP統計）」より筆者作成

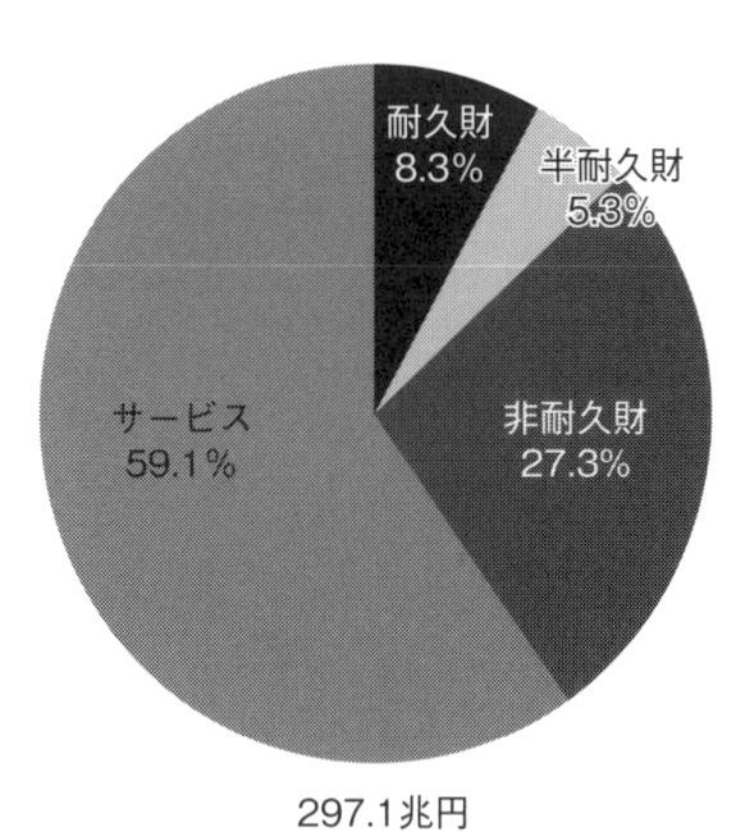

このように、支出面からのGDPを再分類し、コンテンツ関連消費として集計してみることは可能だ。たとえば、六七ページの図表の項目9～12は、サービスの中身（コンテンツ）が提示されなければ購入判断がつかない。「娯楽・レジャー・文化」――何の映画か分からなければ、映画館には行かない。「教育」――そのメソッドや実績に対する説明がなければ、学校は選べない。「外食・宿泊」「美容」――中身が分からずに店に入ったりはしない。これらは、まさにコンテンツ関連消費である。9～12の合計は九五・一兆円だ。

これら以外にも、「交通」にはレジャーのための旅費が含まれるし、「通信」のかなりの部分はスマホの接続料金だ。「交通」と「通信」の一部も、コンテンツ関連にカウントしてもいいだろう。「交通」の三〇・五兆円と「通信」の一一・一兆円、その合計の四分の一でも一〇兆円はある。

ここまでを全部合計すれば、優に一〇〇兆円は超える。これは、コンテンツ関連消費である。

さらに大きく見れば、GDPの約六割を占める個人消費二九七・一兆円には、購入判断のための、何らかの意思決定が伴っている。人は効用を求めて支出する。しかし効用の測定は多くの場合、個人の主観である。価格が似たようなものなら、Aを買うかBを買うかは、それぞれが持つストーリーのどちらに共感するかで決まる。

家計の目的別最終消費支出の構成　2017年度

支出の目的	金額（兆円）
1．食料・非アルコール飲料	45.2
2．アルコール飲料・たばこ	6.8
3．被服・履物	10.1
4．住居・電気・ガス・水道	74.8
5．家具・家庭用機器・家事サービス	12.6
6．保健・医療	10.9
7．交通	30.5
8．通信	11.1
9．娯楽・レジャー・文化	23.1
10．教育	6.2
11．外食・宿泊	23.6
12．その他（美容、ヘルスケア、宝飾品、保険、金融サービスなど）	42.2
国内家計最終消費支出	297.1

出所：内閣府「国民経済計算（GDP統計）」より筆者作成

私たちの意思決定や行動の背景には、何らかのストーリーが存在している。

産地直送や生産者名入りの有機農産物に手を伸ばす。インスタ映えするという理由で、わざわざ電車に乗って、遠くの街までパンケーキを食べに行く。住宅展示場では、「家に帰れば♪」のメロディーに誘われて、積水ハウスのモデルルームを見に行く。独特なセールストークにつられてジャパネットたかたで買い物をする。クルマを買い替えるなら、温暖化防止に貢献しようといってエコカーに決める。

挙げればきりがない。私たちの消費行動は、ストーリーによって決定づけられる。ソフトの財（サービスを含む）であれ、ハードの財も含めた二九七・一兆円であれ、消費行動を起こすとき、私たちは商品やサービスに伴うストーリーに投票しているのだ。

先に述べたように、コンテンツの定義は、「人間の感性に作用して感受される情報・サービス全般」ということであった。「人間の感性に作用して感受される」のがストーリーであり、「情報・サービス化したモノやコト全般」がコンテンツである。ストーリーは、コンテンツに付帯したり、コンテンツを包み込んだりすることで、商材（モノやコト）であるコンテンツの経済的価値を構成する重要な要素になっている。

サーカスの絵が描いてあるおしゃれな箱が、棚に飾ってあった。昔見たサーカスを思い出し、思わず手に取った。ふたを開けたら懐かしい曲が流れてきた。オルゴールだった。買って帰って、家でその曲を聴いた。

描かれたサーカスの「絵」も、流れ出る懐かしい「曲」も、コンテンツだ。買ったものは「箱」（オルゴール）だ。そして、そこには、絵と曲と箱を包み込む懐かしいストーリーがあった。

オルゴールの価格を、何らかの方法で、コンテンツとストーリーとパッケージ（箱）に按分することは可能であるし、本書でもそういう計算を援用している部分がある。しかし、ポイントは按分ではなく、コンテンツとストーリーと商品の「不可分性」である。今日、あらゆる商品が、ストーリーを持ち、コンテンツ化している。

「ディズニー・ダイニング・ウィズ・ザ・センス」では、音楽と食事がコンテンツ、商品はディナーアトラクション、包み込むストーリーは『美女と野獣』であった。どのように割り振るかではなく、この「オルゴール」や「ディズニー・ダイニング・ウィズ・ザ・センス」のように、組み合わせて、あるいは一体化させて、どう付加価値を高めるかということなのだ。

こう考えれば、ストーリーを創りコンテンツと組み合わせて商品やサービスを再定義し、新たな価値を創出することは、無限に可能である。コンテンツの時代なのだ。

✳五〇〇〇億円稼いだトランスフォーマー

一九六九年七月二〇日、人類は月に降り立った。米国が人類の偉業を世界に誇るそのとき、月の裏側では、すでに飛来していた謎の物体の秘密が明らかにされる……。

全世界で一〇億ドル（約一一〇〇億円）を超える興行収入を上げたハリウッド映画『トランスフォーマー』の三作目『ダークサイド・ムーン』のオープニングである。アクション・フィギュア（変形ロボット）とコンピューター・グラフィックスによる子供向けのロボット映画だと思ったら、それは大間違いだ。深遠なテーマとディープなストーリーで魅了する極上のエンターテインメントに仕上がっている。

出所：「インターネット・ムービー・データベース（IMDb）」

『トランスフォーマー』は二〇〇七年に製作され、全世界で七億ドル（約七七〇億円）の興行収入を上げる大ヒットとなりシリーズ化される。ほぼ一年おきに続編が封切られ、三作目で興行収入は、ついに一〇億ドルを超える。二〇一七年の第五作までの累計で、全世界興行収入は四四億ドル（約五〇〇〇億円）になる。

しかも五〇〇〇億円は、映画のチケット売上だけの話である。アクション・フィギュアをはじめとするトランスフォーマーの関連商品は世界中にあふれ、その数字を加えれば、トータルの経済効果は優に一兆円を超えている。

しかし、このトランスフォーマーの原型は、もともと日本の玩具メーカーのタカラトミーが生み出したアクション・フィギュアである。

一九八四年、タカラトミーは日本での玩具販売権だけを残して、その他の権利を、すべて米国玩具メーカー大手のハズブロに売却した。ハズブロは、まず、アメコミ（アメリカン・コミック）出版大手のマーベルを雇って、アニメの制作から始めた。その過程でマーベルは、トランスフォーマーの生い立ちと誕生以降の出来事を創作し、トランスフォーマーに命（ストーリー）を与えた。

トランスフォーマーのアクション・フィギュアとしてのオリジナルは確かに日本であるが、これを世界的な大ヒットコンテンツに育てたのはハズブロだといっても過言ではない。

続いての映画では、オリジナルデザインにタカラトミーも参加して、製作はドリームワークスとハズブロ、配給はハリウッド・メジャースタジオのパラマウント。製作総指揮はスティーブン・スピルバーグ氏で監督はマイケル・ベイ氏……錚々（そうそう）たる布陣だ。

一兆円は、これらのチームによる「トランスフォーマー」という一コンテンツが生み出した数字である。一〇〇億円の売上を誇る優良中堅企業が一〇〇年かけて作る数字だ。

＊勝者は玩具メーカーのハズブロだった

ハズブロは二〇〇七年以前、年間売上が三〇億ドル（約三三〇〇億円）近辺で横ばいであ

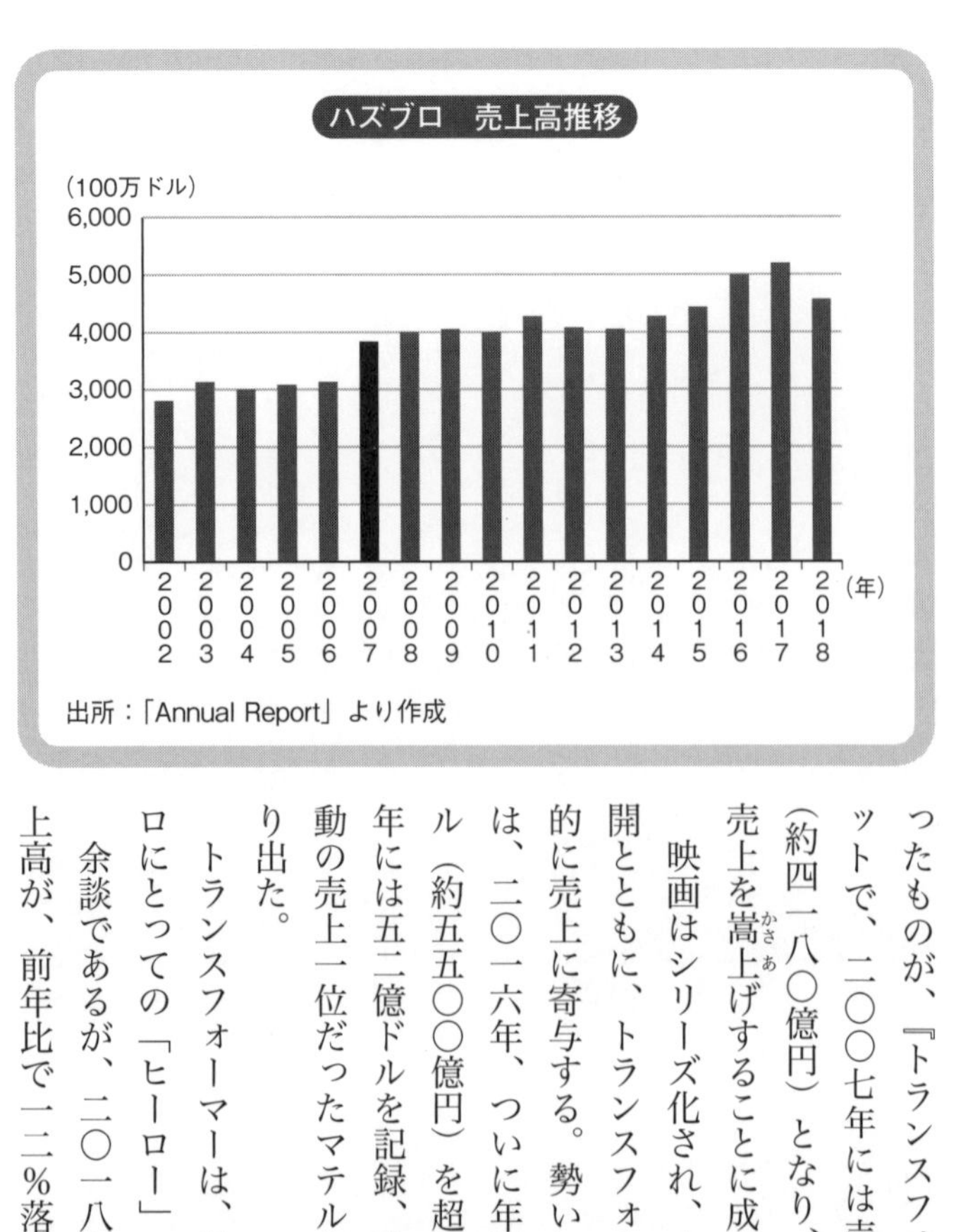

出所：「Annual Report」より作成

ったものが、『トランスフォーマー』の大ヒットで、二〇〇七年には売上が三八億ドル（約四一八〇億円）となり、九〇〇億円近く売上を嵩上げすることに成功した。

映画はシリーズ化され、その後も続編の公開とともに、トランスフォーマー効果は持続的に売上に寄与する。勢いに乗ったハズブロは、二〇一六年、ついに年間売上が五〇億ドル（約五五〇〇億円）を超え、続く二〇一七年には五二億ドルを記録、米国玩具業界で不動の売上一位だったマテルを抜いて首位に躍り出た。

トランスフォーマーは、誰よりも、ハズブロにとっての「ヒーロー」である。

余談であるが、二〇一八年のハズブロの売上高が、前年比で一二％落ち込んだのは、二〇一七年の米国トイザラスの倒産により、最大の小売りネットワークが消滅したことが主な原因である。

トイザラスの倒産やアマゾンの台頭に代表される米国の流通構造の変化は、コンテンツ・ビジネス、特に「リアル」のコンテンツ・ビジネスに大きな影響を与えている。

アマゾンの脅威は、利便性だけの問題ではない。購入履歴や登録情報による顧客データの蓄積と分析にある。コンテンツは日常品と異なり、顧客の選考による偏りが最も大きい分野なのである。

❋生みの親たるタカラトミーは？

タカラトミーは、トランスフォーマーのハリウッド映画化によって、特に目立った効果を享受しているわけではない。

タカラトミーの売上高推移を参照いただきたい。棒グラフが濃いグレーの年が、トランスフォーマーの映画が公開された年である。二〇〇七年度の有価証券報告書で、一作目の映画による増収効果に多少言及したものの、その後はトランスフォーマーで大きく潤った形跡は見られない。なお、二〇一一年度の売上増は、まったく別要因によるものである。

タカラトミーが儲け損ねて惜しかったというよりも、ハズブロがよくやったということ

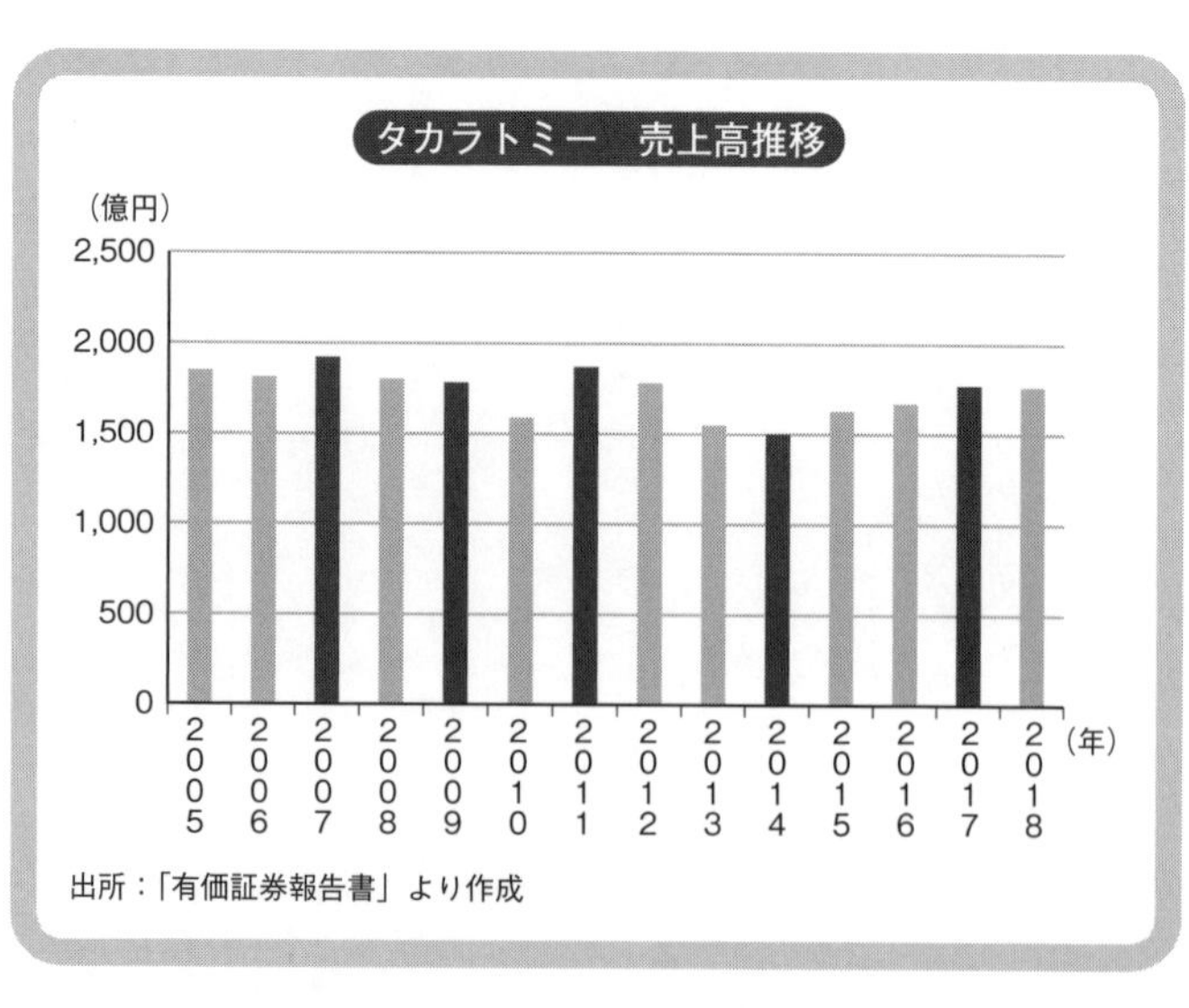

出所：「有価証券報告書」より作成

だ。まだ誰もトランスフォーマーなどをよく知らない一九八四年に、権利を買収しているのだから。

タカラトミーに残ったのは、結局、日本での玩具販売権だけであった。その後のトランスフォーマーの世界規模での大ブーム……その果実を十分に得ることはなかった。

米国はコンテンツを「運用」し、ビジネスを「構築」するのがうまい。チャンスをつかんだら一気に攻めて、会社を次のステージに押し上げることに長けている。米国には、短期間で巨大化してくる企業が常に存在する。「機を見て攻める」、いわゆる「選択と集中」……米国の企業は、これが上手だ。そうでないと生き残れない、ともいえる。これは、日本の企業にとっての課題ではあるが、下手だということではないはずだ。「分かっちゃいるけど」という状況なのだろう。

それよりも、本項で強調したいことは、日本にはアイデアがあるということだ。トランスフォーマーに関していえば、ビジネスを持っていってしまったのは米国だが、トランスフォーマーのオリジナルである「変形ロボット」という玩具領域を開発し、世界に知らしめたのは、日本なのである。

日本のコンテンツ開発力が、すべての源泉なのだ。

❋アベンジャーズは八五〇〇億円にも

二〇一九年七月、ハリウッド映画の世界興行収入（チケット売上高）で、九年半ぶりに新記録が生まれた。ヒーローアクション映画のヒットシリーズ『アベンジャーズ』の最新作『アベンジャーズ／エンドゲーム』が、四月の公開から半年も待たずに全世界興行収入で二七億九〇二〇万ドル（約三〇七〇億円）を超え、これまで歴代首位であった『アバター』を抜いた。

『アベンジャーズ』は米国ディズニー傘下のマーベル・スタジオの作品である。マーベルは、もとはアメコミ（アメリカン・コミック）の出版社であった。二〇〇〇年代に入ってから自社のコミック作品をハリウッドで映画化し、スーパーヒーローもので快進撃を続けている。その作品群は多彩を極め、ＭＣＵ（マーベル・シネマティック・ユニバース）と呼ばれるスーパーヒーローの架空世界を築き上げている。

Ｘ-ＭＥＮ、スパイダーマン、アイアンマン、キャプテン・アメリカなど、マーベルのスーパーヒーローは、映画だけでなくキャラクター商品やゲームも含め、世界のエンターテインメント業界を席巻している。そのマーベルは二〇〇九年に買収され、ディズニーの傘下となっている。

二〇一九年までにシリーズ化された『アベンジャーズ』四作品の興行収入は、累計で約八五〇〇億円。映画館のチケット売上だけの数字である。ここから先のＤＶＤ化やネット配信、玩具やゲームの二次利用収入は、ここに含まれていない。これらを勘案したトータルの経済効果がトランスフォーマーの一兆円をはるかに凌ぐことは間違いない。

ちなみに、『アベンジャーズ』の最新作一本の興行収入約三〇七〇億円という数字を、日本の上場企業の二〇一八年度売上高ランキングで見てみると、年間売上が三〇〇〇億円を超えた企業は、三五〇〇を超える全上場企業のうち四二七社。三〇〇〇億円の周辺には、たとえば化粧品製造・販売のコーセーやテレビ朝日ホールディングスなど、有力企業が名を連ねている。異業種との比較ではあるが、コンテンツの持つ経済的なインパクトを感じることはできるだろう。

アベンジャーズ　全4作品
世界興行収入累計　77億ドル（約8500億円）

2012年
15.19億ドル

2015年
14.05億ドル

2018年
20.46億ドル

2019年
27.90億ドル

出所：「インターネット・ムービー・データベース（IMDb）」

このように、コンテンツは稼げるのだ。だから、稼げるコンテンツには高額の値段が付く。

ディズニーは二〇〇六年にピクサー・アニメーション・スタジオ（以下、ピクサー）を七四億ドル（約八一四〇億円）、二〇〇九年にマーベルを四〇億ドル（約四四〇〇億円）、そして二〇一二年にはルーカスフィルムを四〇億五〇〇〇万ドル（約四四五五億円）で買収している。そして、二〇一九年には21世紀フォックスの映画・テレビ部門を七一三億ドル（約七兆八〇〇〇億円）で買収した。とてつもなく大きな買い物である。

しかし、その結果、ディズニーは、これらの企業が所有していたコンテンツとコンテンツ開発力の買収によって、二〇〇六年から二〇一五年までの一〇年間で、年間売上を、三二〇億ドルから五二〇億ドルへ、さらに四年後の二〇一九年には、六九五億ドル（約七兆六〇〇〇億円）まで伸ばした。

しかも、この売上の積み増しは、一時のものではない。

『アベンジャーズ』で見たように、ディズニーは、買収した制作会社のコンテンツをそれまで以上に積極的にシリーズ化している。

さらにシリーズ化だけにとどまらず、コンテンツを掘り下げて新しいキャラクターも発掘している。『アベンジャーズ』からスピンアウト（派生）した、黒人のスーパーヒーローものアクション映画『ブラックパンサー』（二〇一八年）は、黒人のスーパーヒーローということで、社会現象にもなって大ヒットし、全世界興行収入は一三億ドル（約一四三〇億円）を超えた。

コンテンツの経済的インパクトは十分に大きい。

第二章　日本のコンテンツが凄い

❋日本のコンテンツが凄い背景は歴史にあり

世界のコンテンツ市場において、日本はコンテンツ供給者としての優位性を持っている。その地位はかなり絶対的であるのだが、肝心の日本人があまり気づいていない。おそらく、絶対優位である理由が我々日本人にとっては当たり前すぎて、アドバンテージとは思えないのだろう。その「凄い」という理由を見ていきたい。

まずは、その歴史。

日本は長い歴史を持つ国である。歴史自体がコンテンツ（ストーリーでありキャラクター）であるから、歴史が長いほどコンテンツは豊富である。

世界には、エジプトや中国などに人類最古といわれている文明がいくつかある（紀元前五〇〇〇〜前四〇〇〇年）。最古ではないものの、少し遅れて日本でも定住農耕生活が始まり、その文化遺跡が残っている（紀元前四〇〇〇〜前三〇〇〇年）。土偶や土器にすでにストーリーやキャラクターが登場している。

ギリシャ神話は、古代ギリシャで生まれた神々と英雄の物語である。紀元前一五世紀ころから口述で伝わり、紀元前八世紀からはフェニキア文字をもとに作られた古代ギリシャ文字で記録されている。人間の愛憎や欲望を、神々や英雄にリアルに投影して描いた人類最古の大ベストセラーである。

ギリシャ神話を生んだ古代ギリシャは、もう残っていない。現在のギリシャにも欧州にも、ギリシャ神話を生み出した当時の系統は残っていない。これを再生するパワーも残っていない。

メタファーとしてのギリシャ神話の利用は世界各地で見られるが、ギリシャ神話に登場する英雄の系統が現代まで続いていたりはしない。ヘラクレスやアキレスの誕生までの系譜は神話のなかで語られているが、彼らの死後の系譜は、すぐに途切れている。

一方、日本では、神話で語られる英雄の系統が現在もつながっている。そして、その英雄たちの物語は、いまでも創作の対象になって再現されている。北原白秋の作詞、信時潔の作曲による交声曲（カンタータ）「海道東征」は、皇紀二六〇〇年（一九四〇年）に奉祝曲として作られた。二六〇〇年前の治世者の偉業を最近になって曲にしているのだ。

三枝成彰氏作曲、なかにし礼氏の台本によるオラトリオ「ヤマトタケル」は一九八九年作で、一九九四年に大友直人氏の指揮で改訂初演され、いまでも再演されている。

ごく最近では、二〇一九年に元号が「令和」になって、日本中の書店に、『万葉集』と『古事記』が並んだ。いずれも編纂されたのは奈良時代（七一〇～七九四年）なので、ギリシャ神話よりは、はるかに新しい。それでも、一〇〇〇年よりはるか以前の書物を、歴史家でも宗教的信奉者でもない一般人が買い求めてブームとなるような国は、他にないだろう。千住明（せんじゅあきら）氏作曲、黛（まゆずみ）まどかさん台本の「万葉集」というオペラも、再演され続けている。日本人は日本の歴史を等しく所有している。

このようなコンテンツの形での歴史の再生（再創造）は、日本独特である。長く連続した歴史がコンテンツを生み出し、再生・再創造しているのである。

❋地理的条件が生んだ奇跡

日本は地理的に大陸の東端に位置し、西から伝来してきた文化は、すべてこの地を最後にとどまる。これより先はないのだから、時間の経過とともに消えるものは消え、残るものだけが残る。

しかも、西からの文化は、無人の荒野を突き抜けてくるわけではなく、途中で幾多（いくた）の文化と接触しながら東へ向かってきたのだ。米国のように、東から西へ、ほぼ空白地帯を一気に駆け抜けたのとは、訳が違う。

選別され、混ざり合い、淘汰（とうた）され、修正され、統合され、分化して、残るべきものが残っている。ポルトガルから来たカステラも、唐の長安に倣（なら）った京都も、いまでは日本が世界に誇る魅力のコンテンツである。日本までたどり着いたものは、それだけで宝物だ。日本は地理的条件が創り出したコンテンツの宝庫なのである。

西から運ばれてくるものは、有形無形を問わず、長旅で余分なものがそぎ落とされ、必要なものだけが次の地へ向かう。濾過され洗練されたものだけが上澄みとして東端にたどり着いた。無駄を排した日本のコンテンツのシンプルな力強さは、この辺に理由があるのかもしれない。

世界史上の偉大な文明は地勢的な要衝を中心に栄えた。交通の分岐点にあって、ヒトとモノが往来し、新しい文化が入り込み、混ざり合い、さらに新しい文化を生み出してきた。ところが、地勢的要衝であるがために、常に新たな権力による侵略と強奪と破壊が繰り返され、民族が丸ごと虐殺されたり、追い出されたり、入れ替わったりしてきたのである。

日本は地勢的に「要衝」ではなかった。極東に位置しているうえに、海を隔てた島国であった。侵略も強奪も破壊もなく、ひたすら蓄積の場所であった。世界中のあらゆるものが日本に来て、滞留し、加工され、変貌（へんぼう）していった。文化も、文化が生み出すコンテンツも、長い歴史のなかで、この地に蓄積されていったのだ。

文化は人々が継承していくものだ。文化を形創っていく要素がどこから来たものであっても、それを伝承する者たちはとどまる場所にとどまる。その地において、新しい要素もやがて融合されて、その地の文化に内包されていく。ところが、その地を支配する民族が代わると価値観が変わり、時には過去の文化が全否定されたりもする。

日本はほぼ単一民族の島国であり、他民族に完全に侵略された歴史を持たない稀有の国である。同じ島国でも複数民族を抱える英国とは異なる。文化とコンテンツが、ほぼひとつの民族によって継承され、加工されながら進化し、増幅していったのである。

また気候や自然環境的な条件を見ると、日本は亜熱帯から亜寒帯にある島国で、ほとんどが温帯に属する。国土の六七％を森林が占めている。寒暖差の大きな四季を有し、起伏に富む山と複雑な海岸線を有する海を持つ。

島国である日本は、国土面積は小さいが、列島として東西南北に弓なりに延び、南北に約二八〇〇キロ、東西に約三一〇〇キロの距離を有する国である（一般財団法人 国土技術研究センター資料）。インドの南北約三二〇〇キロ、東西約三〇〇〇キロと比べても遜色ない。領海と排他的経済水域を見れば、その総面積は世界六位、中国の四・五倍もある。海洋国家としては大国なのである。

気候をはじめ自然環境的な多様性こそが、創造の源である。日本はそのバラエティに富んだ自然条件のもとに多様なコンテンツを創造してきたし、現在も生み出している。『八甲田山死の彷徨』（新田次郎著、舞台：青森県）もあれば、『カフーを待ちわびて』（原田マハ著、舞台：沖縄県与那喜島：モデルは伊是名島）もあり、『人生教習所』（垣根涼介著、舞台：小笠原諸島）もある。

✳ギネスが認定した世界最古の国

日本は、ギネスブックで世界最古の国家と認定されており、ＣＩＡの公式サイトでも同様に紹介されている。日本の建国は紀元前六六〇年二月一一日、神武天皇の即位の日とされている。

一方、たとえば「中国四〇〇〇年の歴史」といわれるが、現在の中国の建国記念日は、中華人民共和国が成立した一九四九年一〇月一日。中国人観光客の来日で話題となる「国慶節」に当たる。

すると日本の建国は、いまの「中国」より二六〇〇年くらい古いということになる。国体が変わらない世界最古の国というのは、そういう意味である。

国体が維持できたのは、地勢的条件で他民族からの侵略を妨げたことや、民族的対立や宗教的複雑性がなく、国内に決定的な分裂が生じることがなかったことの帰結であろう。

国体が変わらなかったため、日本では、前代の文化を全否定する必要がなく、そのまま引き継いでいくことに何の不都合もなかった。他の国々では、歴史上の正統性なき治世者が、征服や革命などによって支配者になることが往々にして起こっている。正統性がない者が支配者になったら、自分以前の治世者の系統を否定する以外には、自らを正当化できない。中国や韓国の歴史は、その繰り返しである。

歴史において過去の否定がなかったおかげで、コンテンツを生み出して、それをさらに育て、蓄えていくことができた。コンテンツにとって、これほど恵まれた歴史的環境を持った国はない。

❋表意文字と表音文字を持つ唯一の国の強み

日本は、表意文字（漢字）と表音文字（かな）を母国語に持つ唯一の国である。俳句や短歌が生まれる言語的特性を有していた。マンガのセリフ、特に擬音などオノマトペは、日本語の言語的特性抜きには不可能である。マンガの英訳版でも、「わわわっつぁわーワァー！」「し――ん」などは訳しようがないので、日本語そのままである。

英語圏を除けば、専門用語の大半が自国語に翻訳されており、母国語で大学教育を受けることができる国はそれほど多くはない。フィリピンでは、大学図書館の蔵書は、すべて外国語のものだという。

しかし日本では、主だった言語で書かれた専門書なら、かなりの確率で日本語に翻訳されており、自国語で学ぶことができる数少ない国だ。ドイツの研究者ですら英書なしにはリサーチがおぼつかないという。ところが一方、日本では、ノーベル物理学賞受賞者の益川敏英氏のように、主に日本語の文献で研究を続け（もちろん外国語の文献も参考にしたのであろうが）、ノーベル賞の授賞式が初めての海外旅行だったという人物もいる。

大学教育や学術研究はもちろんだが、それ以前の広範な知的創造においても、一般概念の知識や理解は不可欠である。これらの一般概念を小さなころから母国語で学習できるということは、国の知的創造レベルの向上という意味では、大きなアドバンテージである。

欧州の主要国のあいだでは、歴史上、英語やフランス語やドイツ語が混交していたので、学術用語も一般概念も翻訳不要、そのままで通じてきた。しかし日本では、言語構造が完全に異なる外国から入ってくる専門用語は、逐一日本語に翻訳していかないことには、学究を進めることができなかった。

そして、たゆむことない膨大な量の翻訳を可能にしたのが、日本語の語彙の豊かさである。日本語の語彙の豊かさは世界でも類を見ない。日本語が日本人の勤勉性と創造力を深めてきたことに間違いはない。

この語彙の豊かさは、もちろん歴史の長さに拠るところが大きい。歴史のなかで人間が引き起こした事象や、必要としてきた概念が、自国の言葉として存在していることの意味は大きい。海外で始まったばかりの研究分野でもなければ、学究活動に必要なほとんどの一般概念は、日本語として存在しているのである。

それどころか、自国を「中華」と呼び、世界の中心であると称する中国の正式国名「中華人民共和国」では、日本人が英語から日本語に変換した「人民」と「共和国」という訳語をそのまま使っている。簡体字で「中华人民共和国」、繁体字で「中華人民共和國」である。ここにも日本語の語彙の豊富さが表れている。

世の中に翻訳ソフトが広まっても、翻訳ソフト自体が新しい言葉を生み出したりはしない。語彙が増えるわけではないのだ。機械に頼らない頭を使った翻訳が、いまでも日本語の語彙を増やし続けている。

長く米国に住んで、マンガだけでなく小説の英訳出版も手掛けてきたが、米国だけでなく欧州も含め、翻訳者の名前を出版物にクレジットした（表記した）記憶はない。欧米では、翻訳というのは技術的な職人仕事で、そこに文化という概念は希薄であった。

ところが日本には、翻訳だけでなく「超訳」という翻訳を飛び越えたジャンルすらある。また、同じ文芸書を何人もの違う人たちが翻訳したり、時代に合わせて翻訳し直したりということも頻繁に行われる。クラシックの名曲が、何人もの指揮者によって演奏されるのに似ている。

語彙の豊かさが日本に翻訳文化をもたらし、一方で翻訳文化が外来語を取り込んでさらに語彙を膨らませていく――この循環が、日本の語彙の豊かさを築いてきた要因のひとつである。日本は、いながらにして世界が学べる国なのである。

翻訳と同じような話ではあるが、日本では映画の字幕と吹替えも、単なる便宜の域を超えている。ディズニー映画『アナと雪の女王』は、二〇一四年に日本でも公開され大ヒットした。多くの人が、一回は字幕版を観に、一回は吹替え版を観に映画館に行ったのだ。普段は字幕版しか観ない映画ファンも、吹替え版で松たか子さんと神田沙也加(かんださやか)さんが歌うのを聴きたくて、再度、劇場に足を運んだのである。

時に、吹替え版と字幕版は、別のコンテンツになる。後に売り出された『アナと雪の女王』のＤＶＤのパッケージも、両方入ったプレミア版が売り出されていた。

ところで人間の左脳は「言語脳」と呼ばれ、言語や記憶を支配して論理的思考を司(つかさど)り、右脳は「イメージ脳」と呼ばれ、図形や空間を把握して芸術性や創造性を司るといわれる。「かな」の読み取りには左脳、「漢字」の読み取りには「右脳」が使われる。人は漢字を図形と認識するからだ。

ということは、日本人は、日本語を通じて右脳と左脳を常時使い、思考しているのだ。コンテンツ創造に右脳は欠かせない。筆者は、日本にマンガ家が多く生まれた大きな理由は、右脳の発達も含めた、日本語の効果だと考えている。

日本には「漢字」と「ひらがな」に「カタカナ」を加えた文字文化がある。「習字」や「書」という文化や芸術がある。これらの文字は、アルファベットなどと異なり、デザイン性を持つ。日本が世界的に著名なデザイナーを輩出している理由のひとつとして、ある外国の学者は、子供時代からの漢字やひらがなの訓練を挙げる。デザインとバランスの練習に優れているということのようだ。

❋アダプトして多種多様化した創造の力

日本にある文化のうち、その源流が中国にあるものは多い。中国にオリジナルやモデルを持つものがたくさんある。そのなかには、中国には現存せず、日本にだけその形をとどめているものが山ほどある。長安の街並みは現地には残っていないが、京都にその原型を見ることができる。岩絵具は現在では中国で使われることはほとんどないが、いまでも日本画の必須画材である。着物の原型である漢服は衰退してしまったが、着物は日本で現役バリバリの衣装である。

日本は「アダプト文化」、真似(まね)て加工して独自のものを創り出す文化、において世界に類を見ない国である。

アダプトは、中国からのものにとどまらない。米国からも欧州からも、世界中から使えそうなものを持ってきては、日本独自のものに変換していく。大阪の「アメリカ村」も、東京の「渋カジ」も、元祖は米国であるが、いまや米国からの観光客が押し寄せ、喜んで写真を撮って米国もどきを買って帰る。まず真似て、それを並べてみるということは、コンテンツ創造の第一歩である。

日本には、表現に究極の自由があるのだ。

自由な発想というものは、コンテンツ創造の源泉である。中村光（なかむらひかる）さんによるマンガ作品『聖（セイント）☆おにいさん』では、ブッダとイエスが東京・立川の安アパートで共同生活をしている。また、ヤマザキマリさんによるマンガ作品『テルマエ・ロマエ』は、古代ローマに温泉文化を輸出するような話である。こんな国は、日本以外にはあり得ない。

ここまで述べてきたように、日本文化の多様性は、当然、コンテンツの種類の多さにつながる。造形（建築、彫刻、絵画など）、映像（映画、放送、ゲーム、アニメ、ネット動画など）、音楽（クラシック、ポピュラーなど）、出版（マンガ、書籍など）、舞台（演劇、舞踊、歌舞伎、古典芸能、ミュージカル、ショーなど）……日本にないものはない。

コンテンツに関わるすべての分野と、そのほぼすべてのサブジャンルまで揃っている。コンテンツの幅が広いのだ。

米国でフランス映画を探すのは苦労する。パリでミュージカル『キャッツ』をフランス語で観たいといっても見つからない。一方、東京には、あらゆるコンテンツが揃っている。多すぎて、リソース（カネとヒト）が希釈化しているという問題はあるが、種類が多いので、多様な才能をすくい上げ、異種間の触媒効果も期待できる。尾田栄一郎（おだえいいちろう）氏によるマンガ『ONE PIECE』を原作にしたスーパー歌舞伎で市川猿之助（いちかわえんのすけ）氏がルフィを演じ、ワイヤーアクションで空中を飛んだりすることは、多種多様性がもたらす創造力の結晶だ。

「すべての革新は要素の新しい組み合わせである」（ヨーゼフ・シュンペーター）——。

❊日本のコンテンツ市場規模は世界の一割

以上見てきたように、日本のコンテンツ供給力における優位性は、特に努力の賜物（たまもの）というわけではなく、日本の属性として備わっているもので、簡単に消えたり、競合に駆逐されたりするものではない。

また、必ずしも巨額の投資などを必要としない。いま手元にある資産なのだ。

このアドバンテージを、まずよく理解することが重要である。そのうえで、このアドバンテージをどうやって換金するか（稼ぎに換えるか）、ということを真剣に考えなくてはいけない。

日本は、すでにコンテンツの宝庫であり、なおもコンテンツ供給の源泉を有している。しかし残念なことに、金額ベースで見た世界のコンテンツ市場では、日本はそれほど大きなプレゼンスを持っていない。

ＨＵＭＡＮＭＥＤＩＡ発行の「日本と世界のメディア×コンテンツ市場データベースＶｏｌ・12　２０１９」によれば、二〇一七年の世界主要一六ヵ国のコンテンツ市場規模は約一一三兆円、日本のコンテンツ市場規模は約一一兆円と推計されている（「デジタルコンテンツ白書２０１９」の一二兆七〇〇〇億円とほぼ同じ）。規模は世界の約一〇％である。また、日本のコンテンツの海外売上は約一兆七〇〇〇億円なので、国内売上が大部分（八四％）を占める。

要は、内弁慶なのだ。

当たりくじ（供給力の宝庫）を持っていることに気づいていないか、気づいているが換金手段が分からないか、あるいはその両方だろう。この問題に焦点を当てて、状況打開の一助となること、「コンテンツで稼ごう」が本書のテーマである。

❋マンガは「メタ産業」

ここまで述べてきた日本のコンテンツのなかでも、特にマンガとアニメは、世界に冠たる日本の最強コンテンツである。

世界のコンテンツ市場において、マンガとアニメは日本独自の領域を築き、日本のコンテンツのユニークさと競争力の源になっている。マンガとアニメは、それ自体でよく稼げるのだが、近年二次利用による派生需要がさらに大きくなっている。

公益社団法人 全国出版協会・出版科学研究所発表の数字を見ると、二〇一九年の紙とデジタルを合わせた出版全体の売上一兆五四三二億円のうち、マンガは驚異の一二・八％増、四九八〇億円を記録し、金額ベースで出版全体の三二・二％を占める。

また邦画の現状を見ると、二〇一六年から二〇一九年までの四年間における年間興行収入上位一〇作品（全四〇作品）のうち、二四本がマンガ原作という驚きの結果となっている。

日本の「コンテンツ」を語るうえで、マンガの持つ意味合いは、とてつもなく大きい。マンガが、日本のコンテンツ市場をいかにユニークにしているかということは、コンテンツを語るうえでは大きなテーマである。

手塚治虫（てづかおさむ）の時代からマンガを世界に紹介してきた米国の評論家・翻訳家のフレデリック・ショット氏は、三〇年以上も前に、アニメーション情報・出版最大手「Animation World Network（アニメーション・ワールド・ネットワーク）」のインタビューで、以下のように答えている。

「日本でマンガは『メタ産業』である。新しいアイデアを（世に向けて）最初に紹介する場所なのだ。人気が出たマンガは早晩アニメになり、さらには劇場用実写映画になっていく。うまいシステムだ。メディアのプロデューサーたちは、大きく人気が出たマンガが、メディアを代えても（アニメ化や実写映像化して）十分成功することを知っている」

　この「メタ」とは、ある事象の源流となる抽象的概念を表す接頭語で、「高次の」とか「川上の」という意味に近い。たとえば、メタフィジックスとは、物理学（フィジックス）の前に「メタ」がつき、形而上学などという高尚で難しそうな名前が充てられている。世界の現象のすべてはここから始まる、という根本原理を追究する学問である。

　マンガにはなんと、この、「メタ」というやたらと高尚で難しそうな冠が与えられたのだ。

　さてマンガは、元来、作家がストーリーから作画までを一人でこなす創作物である。マンガ家が生み出すストーリーとキャラクターは常に絵（イメージ）に裏打ちされているので、明快であり簡潔である。

　かつ初出のハードルが極めて低い。紙と鉛筆があれば、たちまち物語世界を築くことができる。コンテンツの要諦は、ストーリーとキャラクター。一人の作家が創り出したアイデアをメディア化するのに、マンガほど簡単で速効性のあるメディアはない。

「濫觴」（物事の始まり。揚子江のような大河も、もとは觴を濫べるほどの小さな流れである）という言葉があるが、まさに盃を浮かべるような少量の水がせせらぎとなり、せせらぎが川となり、連なって合流し大河になるがごとく、一人のマンガ家の一片の作品が、やがて多くの編集者やプロデューサーやその他のメディアを巻き込んで、巨大な作品世界とビジネスを築き上げていく。

『ドラゴンボール』も『ONE PIECE』も、初めは一人のマンガ家の頭のなかから湧き出た水のごときアイデアである。

マンガは、その昔から、「メタ産業」なのである。

＊マンガを映像化しやすいわけ

マンガは、その制作過程のすべてが一人の頭のなかで完結している。絵（イメージ）が、常に統一された世界観を演出し、そこにストーリーが収まっている。ストーリーが多少迷走したり破綻したりしても、絵が補強して、作品としてのまとまりを付けてくれる。

赤塚不二夫氏の『天才バカボン』などは、その好例だ。テキストだけでセリフを読んだら、何が何だか分からない。一方、マンガは分かりやすい。だから国を超えても、誰でも読みやすく、いじりやすい（模倣したり、派生したりしやすい）。

LINEでスタンプが多用されるのは、メッセージを伝えたいときに、マンガがいかに分かりやすいか、使い勝手がいいかを証明している。

そしてマンガの制作技法は映画と共通するところが多く、映像化しやすい。映像化を考えたとき、マンガはすでに脚本と絵コンテを創り出している。マンガの制作はコマと呼ばれる枠に絵とセリフを描き込んでいく作業だ。カメラを回すわけではない。初めからコマ割りして描き進んでいく。マンガを映像化するときには、映像の撮影や編集で最も大事な作業であるカット割り（どこで切ってつなげるか）に関して、すでに基本線ができ上がっていることになる。

映画化やドラマ化するには、これほど扱いやすい素材はないのだ。

さらに、脚本と絵コンテを同時に提供しているのであるから、当然のこととして世界観が伝わりやすい。メディアが代わってもオリジナルの魅力を損なわずにリメイクがしやすいのだ。

もっとも、マンガ原作の実写映画化などのケースでは、マンガを読んだファンにはすでにコンセンサスのでき上がっているイメージがあるため、白紙状態から始めるよりハードルが高くなることが往々にしてある。期待したイメージと違ってファンを落胆させることも多い。ハリウッド版『ドラゴンボール』のケース（映画原題は『DRAGONBALL EVOLUTION』、ＩＭＤｂ〈インターネット・ムービー・データベース〉の観客評価で一〇点満点中二・六点）など、失敗した例はたくさんある。

＊圧倒的な数の登場人物を収容できるマンガ

登場人物が多いのも、マンガの大きな特徴だ。長寿作品なら必然的に登場人物が増えることはあるのだが、単純にそれだけではない。マンガでは、絵がストーリーとキャラクターを補強しているので、登場人物を増やしても、混乱せずに作品のなかに収容できるのである。結果、『ONE PIECE』や『機動戦士ガンダム』では、主要登場人物を解説するだけで、一冊の本になる。

そしてマンガは「メタ」であるから、制作が自在である。登場人物も出し入れ自在。その意味では小説も同じなのだが、テキストだけの小説だと、登場人物を多くすると、誰が誰だか分からなくなって読み手が混乱してしまう。『ハリー・ポッター』シリーズや『指輪物語（ロード・オブ・ザ・リング）』の魅力も、次から次に登場してくる新しいキャラクターが活躍する点にあるのだが、マンガほどキャラクターを増やすことはできない。

セリフなしで無言のままいつも主人公に寄り添っているキャラクター――これを描こうとしたら、マンガなら「イメージ＝絵」を創ってから主人公の隣に置いてやればいい。ところが、これを小説でやろうとすると、実はかなり難しい。相当の筆力を要することになる。失敗すると、読者を混乱させるだけになる。

余裕で群像劇をこなせるのはマンガくらいである。『ONE PIECE』『NARUTO－ナルト－』『ハチミツとクローバー』など、挙げれば切りがない。日本のヒットコンテンツに群像劇が多いのは、このあたりにも理由を見出すことができる。

❋マンガはコンテンツの無限の源泉

マンガは、小さい子供でも読める。読むだけでなく、描くこともできる。他のメディアに比べ、読み手としても描き手としても、圧倒的に若年時から参加できる創作物である。

マンガは登場人物を増やすことができるだけでなく、併せてストーリーを膨らませていくこともできる。

マンガの創作は、まず主人公のイメージ創りから始まる。キャラクター（登場人物）のキャラが立っている（カッコいい）ことがヒットの絶対条件である。ストーリーが勝手に動き出すような魅力的なキャラが必要だ。

こうしてキャラが立てばストーリーが生まれ、キャラクターとストーリーが対話を始め、作品が次へ次へと進行していく。ストーリーにキャラクター循環のメカニズムが生まれる。コンテンツを無限に生み出すことが可能になる。

スピンアウト（派生的な創作物）などはお手のものである。次から次に新しいコンテンツが生み出されるのだ。

「メタ」として川下のメディアへコンテンツを伸ばしていくだけではなく、新しいキャラクターによる新しいストーリーを生み出している。新しい「メタ」ネタを創り出しているのだ。

人気マンガ『DEATH NOTE』では、主人公の一人である探偵役L（エル）の人気が高く、スピンオフ映画『L change the WorLd』も創られて、ヒットした。

✻アメコミとマンガの大違い

米国にも「アメコミ」と呼ばれるコミックがある。マンガ同様に長い歴史を持ち、米国コンテンツ市場のなかで、マンガと同じく「メタ」のポジションにある。

そして、アメコミ出版社マーベル（ディズニー傘下）の大ヒット作『アベンジャーズ』に見られるように、米国のコンテンツ市場を席巻（せっけん）している。

しかし同じ「メタコンテンツ」であるとしても、マンガとアメコミでは、その意味合いはまったく異なる。決定的な違いがあるのだ。

まず、アメコミが創り出しているのは「キャラクター」であって、「ストーリー」ではない。バットマンの生い立ちはキャラクターの属性として描かれているので、知っている人も多いが、バットマンのストーリーを具体的に記憶している人はいない。せいぜい「悪役ジョーカーと、ゴッサム・シティーの存亡をかけて戦う」くらいのところだろう。

実はアメコミの著作権は、作家ではなく、出版社が持っている。出版社が作品ごとにストーリーと作画のスタッフを集め、制作を行う。ストーリーはもちろん絵（イメージ）も、同じ作家が描いているわけではない。シリーズ化しているときの一定期間だけ、同じスタッフが担当することはよくあるが。

このようなアメコミにおいては、一度キャラクターが生まれれば、あとは誰がストーリーを創り、作画しているかは、大きな問題ではない。作家の名前が大きく取り扱われる（クレジットされる）ことも稀である。

アメコミでは、ストーリーの創作と絵（イメージ）の制作は完全分業だ。当然、複数の作家によって創られる。一方、マンガでは、多くの場合、一人の作家が、もしくはパートナーと一緒に、ストーリーとイメージを同時進行で創る。ストーリーを創りながら同時に作画が進行していく。

マンガもアメコミも、作品の世界観を構築していくことは同じである。しかし、マンガは基本が長期連載で、アメコミは数話での読み切りである。したがって、コンテンツ市場への波及という意味で、マンガはストーリーとキャラクターにおいて「メタ（源流）」であり続けるが、アメコミは基本、キャラクターだけの「メタ（源流）」である。アメコミではストーリーがすぐに完結してしまい、さらなる連続性は求められていない。

日本にはマンガ雑誌が多く存在し、相当数の作品が掲載されている。日本のマンガはマンガ雑誌から生まれるケースが圧倒的に多い。マンガ雑誌には複数の作品が掲載されるので、ページ数も多い。アメコミでは、ひとつの作品の数話が一冊に収まっている。ページ数も少ない。

加えてマンガ雑誌では、人気作品が売上を引っ張っているあいだに他の作家や新人の作品を紹介し、読者の興味を広げていくことが可能だ。しかしマンガ雑誌は、読み終えたら、ほとんどのケースがゴミ箱行きである。一方のアメコミでは、読者は好きなキャラクター、あるいは好きな作品だけを購入しているので、雑誌そのものがコレクションの対象になっている。

異論はあるだろうが、こうして見てみると、筆者の独断でいえば、マンガの究極の価値は「ストーリー」だ。キャラクターはもちろん絶対要素であるが、ストーリーがあって初めて命が吹き込まれ動き出すものだ。

アメコミの主人公、バットマンやスパイダーマンは、一話完結のストーリーのなかで、作品ごとに違う人生を生き、異なる時間を経験している。作品ごとに登場する年齢も違うし、付き合っている女性も違う。

一方のマンガは、ストーリーが先行するコンテンツである。ストーリーはエピソードをつなぎながら続いていく。マンガのヒーローは連続するストーリーのなかで、ひとつの人生を生きている。

アメコミのヒーローは、時々に持ち込まれるストーリーに出演している俳優のようなものだ。その都度（つど）、違うストーリーのなかで、違う人生を生きているのだ。

バットマンとスパイダーマンは、設定は違っても、アクションヒーローものとしては似たような役で、似たような戦いを演じている。

それぞれのストーリーをそのままにして、仮にバットマンとスパイダーマン二人を入れ替えてしまっても、おそらくそれほど違和感のない作品ができてしまうだろう。それぞれのファンの皆さんには申し訳ないが。

❋マンガは読者の人生に寄り添う

マンガは長寿作品として続くケースが多い。

ファンは、その連載中、ずっとマンガとともに生きていく。マンガは読者の人生の一時期に深く関与し、息の長いファンを作っていく。作品自体が、読者と同時代性を共有し、読者の人生の伴走者としての役割を担っていく。

他のコンテンツ以上に、マンガは、読者のもとでの滞在期間が長いのである。『ＯＮＥ ＰＩＥＣＥ』や『ＳＬＡＭ ＤＵＮＫ（スラムダンク）』の名言集が飛ぶように売れ、キャラクターの発する言葉に涙し鼓舞(こぶ)され、勇気づけられている読者が大勢いる。

この現象は、必ずしもマンガに限ったことではなく、長寿のテレビ番組などにおいても見られる。アメリカのテレビドラマはヒットするとシリーズ化して長寿化する。マンガの連載継続と同じ理屈だ。

アメリカの映画専門テレビＨＢＯの大ヒットテレビドラマ『ゲーム・オブ・スローンズ』は、シリーズ化して八年続き、二〇一九年五月に終了した。全世界で五〇〇〇万人を超えるファンが番組終了の悲しみに沈んだ。ネットは、『ゲーム・オブ・スローンズ』ロスの書き込みであふれた。ショックで落ち込んでいる人たちのためのカウンセリング・サイトが英国発で立ち上がった。有料で、三〇分二五ドル（約二七五〇円）、一時間五〇ドル（約五五〇〇円）である。

メディアを問わず、ファンの付いた作品を長寿化し、キャラクターを育てていく。キャラクターを育てる魅力的なストーリーを開発していく。これらが、コンテンツ・ビジネスの基本である。

✳経済効果は年に一〇〇〇億円超の『ＯＮＥ ＰＩＥＣＥ』

『ＯＮＥ ＰＩＥＣＥ』は、コミック雑誌「週刊少年ジャンプ」で一九九七年に連載開始、二〇年以上にわたり連載が続いている大人気マンガである。単行本化され、アニメ化もされてテレビで放映されている。ほぼ年一回、劇場版アニメが制作され、その年の映画興行収入ランキングでは五位以内が約束されている。キャラクターイメージは、およそあらゆる種類の商品にライセンスされていて、関連商品の売上は膨大だ。ミュージカルになり、歌舞伎にまでなっている。

この『ＯＮＥ ＰＩＥＣＥ』は、二〇一九年一二月までで、連載二二年、単行本九五巻、主な登場キャラクターは一八〇を超えている。最も単行本が売れた二〇一二年、劇場版アニメ映画も大ヒットした。関連グッズなど含め、当時の経済効果は、優に一〇〇〇億円を超えていたと推定できる。

先に、映画コンテンツとして『トランスフォーマー』のケースを見た。マンガコンテンツである『ＯＮＥ ＰＩＥＣＥ』も「メタ」の商材としての価値は高く、稼ぎも十分に大きいのである。

一方、マンガの制作コストは圧倒的に小さい。

今日ではマンガ制作は、分業化されチーム化され、システム化されている。事実ではあるが、それは「売れっ子作家と出版社」という構図でのビジネスの話である。

「メタ」の場（コンテンツ・アイデア創出の場）としてのマンガは、参入障壁の低い、低コストの産業である。絵が描けるかストーリーが書ければ、誰でも入っていくことができる。紙と鉛筆、あるいはパソコンと作画アプリやソフトがあれば、誰でも参入可能だ。

いまでは、音楽家もアスリートも、相当の育成資金がないとプロになるのは至難の業だ。有名ピアニストやテニスプレーヤーが、幼少期の練習風景などをビデオで公開しているが、家に経済的な余裕があることが窺える。

おカネをかけずに大金持ちになる唯一残された職業は、マンガ家とユーチューバーかもしれない。

❋日本だけが持つ自動再生可能な「メタ」資源

残念なことだが、日本が各産業分野で国際的な地位を後退させているのは事実である。しかしマンガだけは、おそらく将来にわたって、外国に負けることはない産業である。

そもそも、マンガが産業として成立している国はほとんどない。アメコミ（米国）やバンデシネ（フランス版マンガ）やマンハ（韓国版マンガ）など、日本以外でマンガやコミックが産業らしく成立している国は、米国、フランス、それに韓国、まもなく中国というところである。

そして、日本がマンガの分野でこれらの国に後れを取ることはないだろう。いくらマンガが「メタ産業」で、その派生的経済価値が大きいといっても、わざわざマンガから産業振興を始めようとする国が出てくるとは思えない。韓国にその兆候が見えた時期があるが、映画のように国策とまではならなかった。

マンガ制作は、もともと自己完結型の職人作業である。いま、時代は職人を廃し、テクノロジーを使った代替的な生産方式に置き換える方向に向かっている。将来において、職人仕事をいまある程度に維持するには、現在の職人市場のボリュームがある程度のラインを越えていないと難しい。ある程度の個体数が維持できなければ、絶滅の危機に陥る絶滅危惧種と同じ理屈だ。

マンガ家という職業は、最後は日本にしか存在しなくなる、と筆者は推測している。

一方、アメコミは、まったく別モノとして、映画産業の派生物として隆盛を極めていくだろう。マンガは、前出のショット氏のいう通り「メタ産業」なので、派生を生む側であって、派生として生き残るものではないのだ。

日本が今後、職人の国としてマンガを創り続け、世界のコンテンツ業界のなかで、ユニークで尊敬される地位を保ちつつ、経済的利益を拡大していくことは十分に可能である。

しかも、先に述べた日本のコンテンツが凄い理由のいくつかは、商材としてのマンガが圧倒的な国際競争力を担保している点にある。

日本人がいれば、マンガは、資源も資金も必要としない。誰も傷つけないし、他者から何かを奪うこともない。技術はいずれ追い付かれ、時に駆逐されるが、マンガの創作は誰にも模倣できないし、頭のなかのアイデアは枯渇することなく無限である。マンガは日本だけが持っている自動再生（無限の生産）が可能な「メタ」資源なのである。

ここまで、マンガの創作段階（供給面）での凄さ（優位性）の話をしてきた。マンガを日本再生の大きな一助とするには、さらに、海外展開や海賊版対策などの流通面を含め、ビジネス全体を議論していく必要がある。

❋映画化やミュージカル化など派生分野は無限

コンテンツとは、とどのつまりストーリーとキャラクターだ、というのが本書を書き進めるうえでの基本である。したがって、「日本のコンテンツが凄い」というのは、日本のストーリーとキャラクターの創出力が凄い、ということである。

コンテンツのなかでも、特にマンガが凄い。日本のマンガにおけるストーリーとキャラクターの創出力は、世界中どこを探しても、他に類を見ない。日本のマンガは、まさしく、コンテンツ力が高いのだ。

マンガは、一次創作物であり、二次創作以降の原作となる。「メタ産業」として、マンガから派生していく二次創作物や、他のコンテンツ分野でのビジネスの「源泉」となっている。アニメや映画をはじめとする周辺産業を、波及的に拡大する力を持っている。

日本のマンガ市場規模は、四九八〇億円（二〇一九年、販売金額ベース）である。一般社団法人 日本動画協会の「アニメ産業レポート2019」によると、広義のアニメ市場規模は二兆円を超えているが、マンガ原作とマンガから派生したアニメキャラクターを使った二次創作物が過半を占める。

映画市場への波及は、すでに見た通りだ。

このほかにもゲームを含む商品化やミュージカル化など、派生分野は際限がない。広げて数字を拾っていったら、そのインパクトは計り知れない。マンガは「メタ産業」なのだ。

❋デジタル革命下のマンガは？

デジタル化の波が、日本の出版市場全体にどのような変化をもたらし、そのなかでマンガ市場がどう変貌（へんぼう）しているか？　それを見てみると面白いことが分かる。

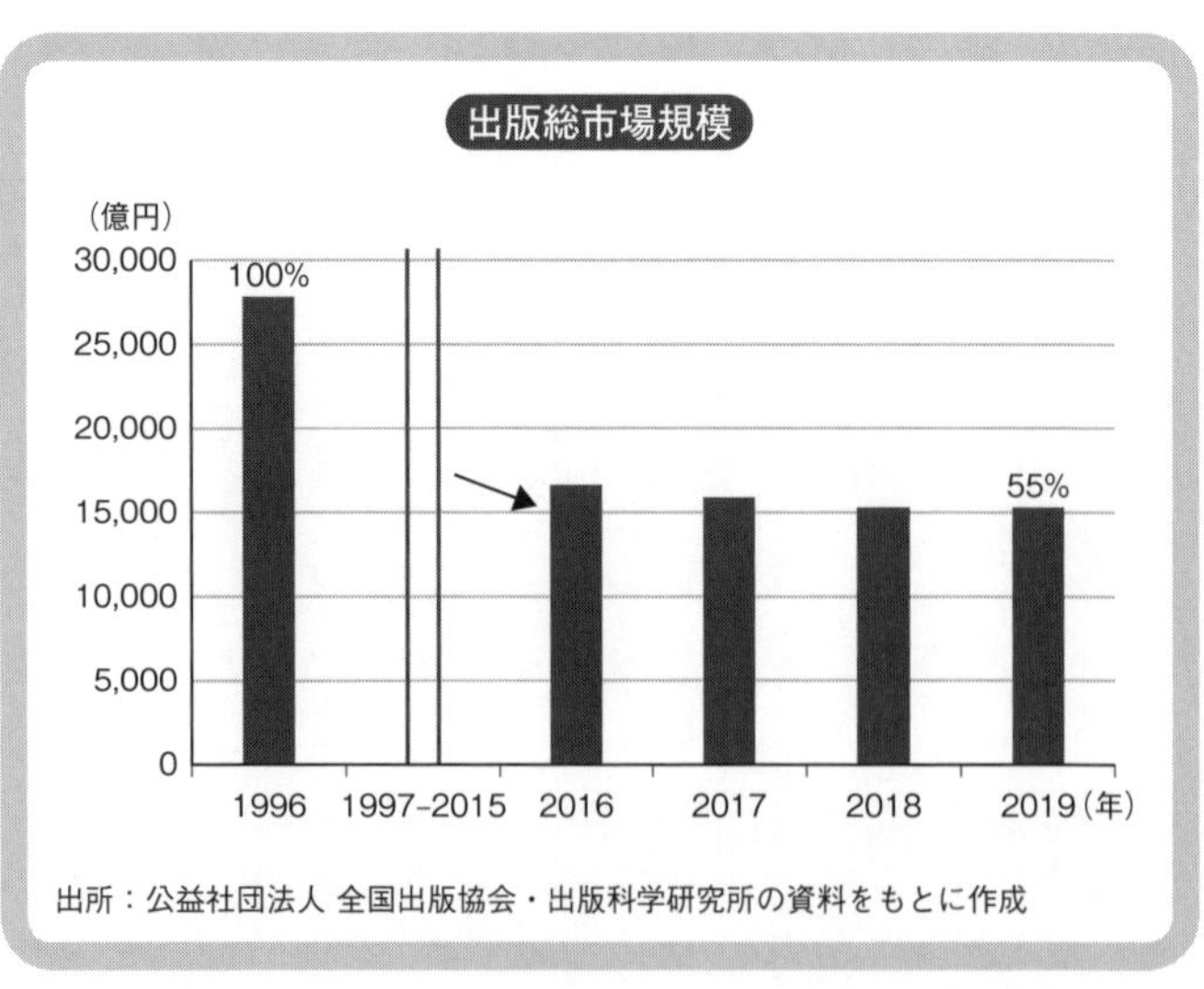

出所：公益社団法人 全国出版協会・出版科学研究所の資料をもとに作成

まず、基本的な数字をさらってみよう。

①日本の紙とデジタルを合わせた出版市場（出版物の販売金額）は一九九六年に、二兆七八五一億円でピークを打ち、その後は右肩下がりで縮小を続け、二〇一六年に一兆六六一八億円、二〇一七年に一兆五九一六億円、二〇一八年に一兆五四〇〇億円と減少傾向が続き、ピーク時の五五％にまで落ち込んだが、二〇一九年は一兆五四三二億円と横ばいであった。

②そのなかでマンガ市場（コミック誌とコミック単行本の販売額）は、一九九五年に五八六四億円でピークを打ち、出版全体と同様に右肩下がりで縮小してきたが、二〇一六年に四四五四億円、二〇一七年に四三

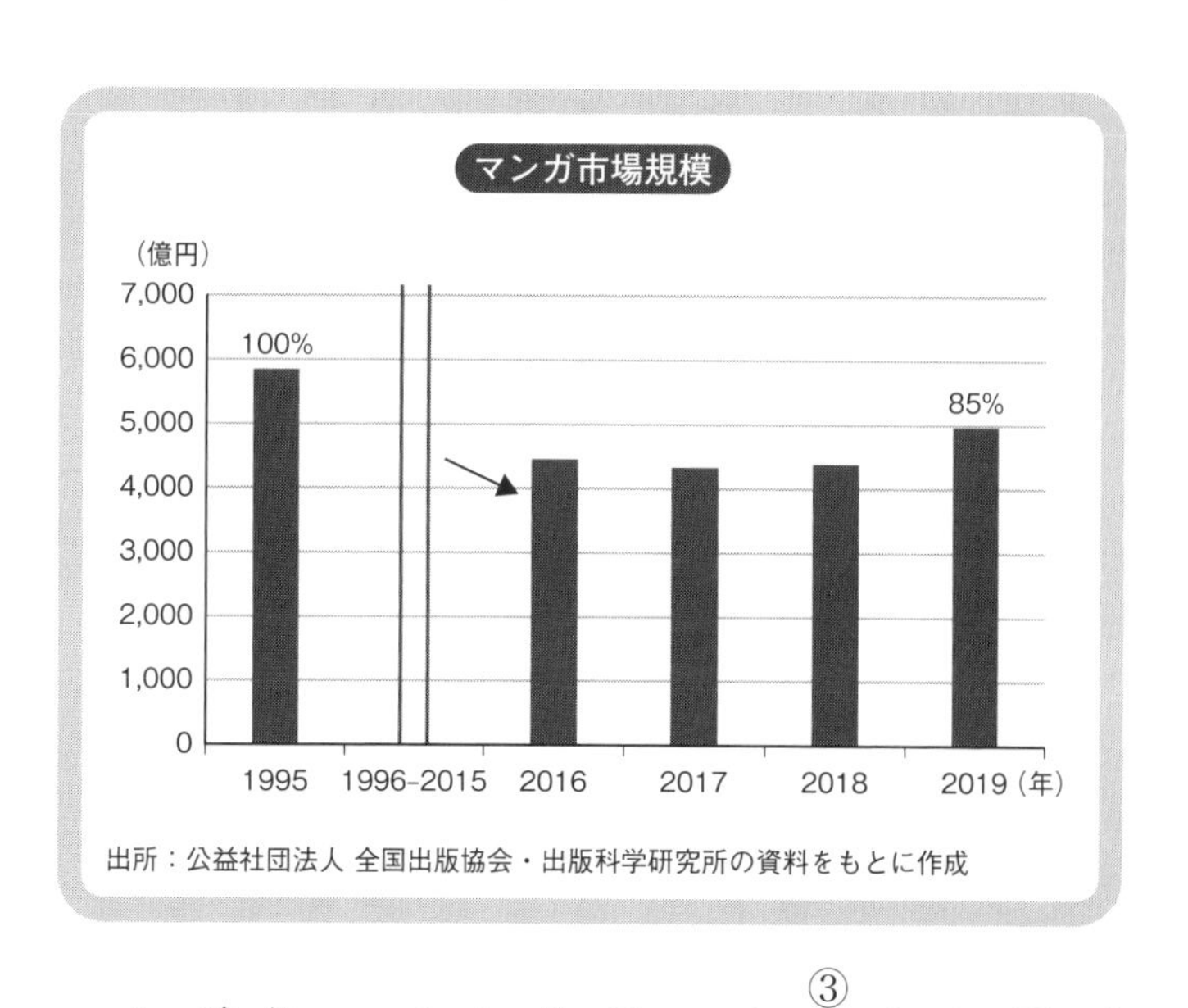

三〇億円、二〇一八年に四四一四億円と、下げ止まりの兆候が見え始め、二〇一九年は前年比一二・八％増の四九八〇億円でピーク時の八五％ラインまで回復した。③

出版物のデジタル化は二〇一〇年代半ばから加速したが、その伸びのほとんどはマンガのデジタル化によるものだ。二〇一九年の電子出版市場は三〇七二億円（出版全体の二〇％）に達したが、そのうちのなんと八四％、二五九三億円はデジタルマンガである。

マンガの電子市場での売上は、マンガ全体の五二％で紙媒体を超えた。マンガは、電子市場を新たな媒体として再ブームの兆（きざ）しを見せている。

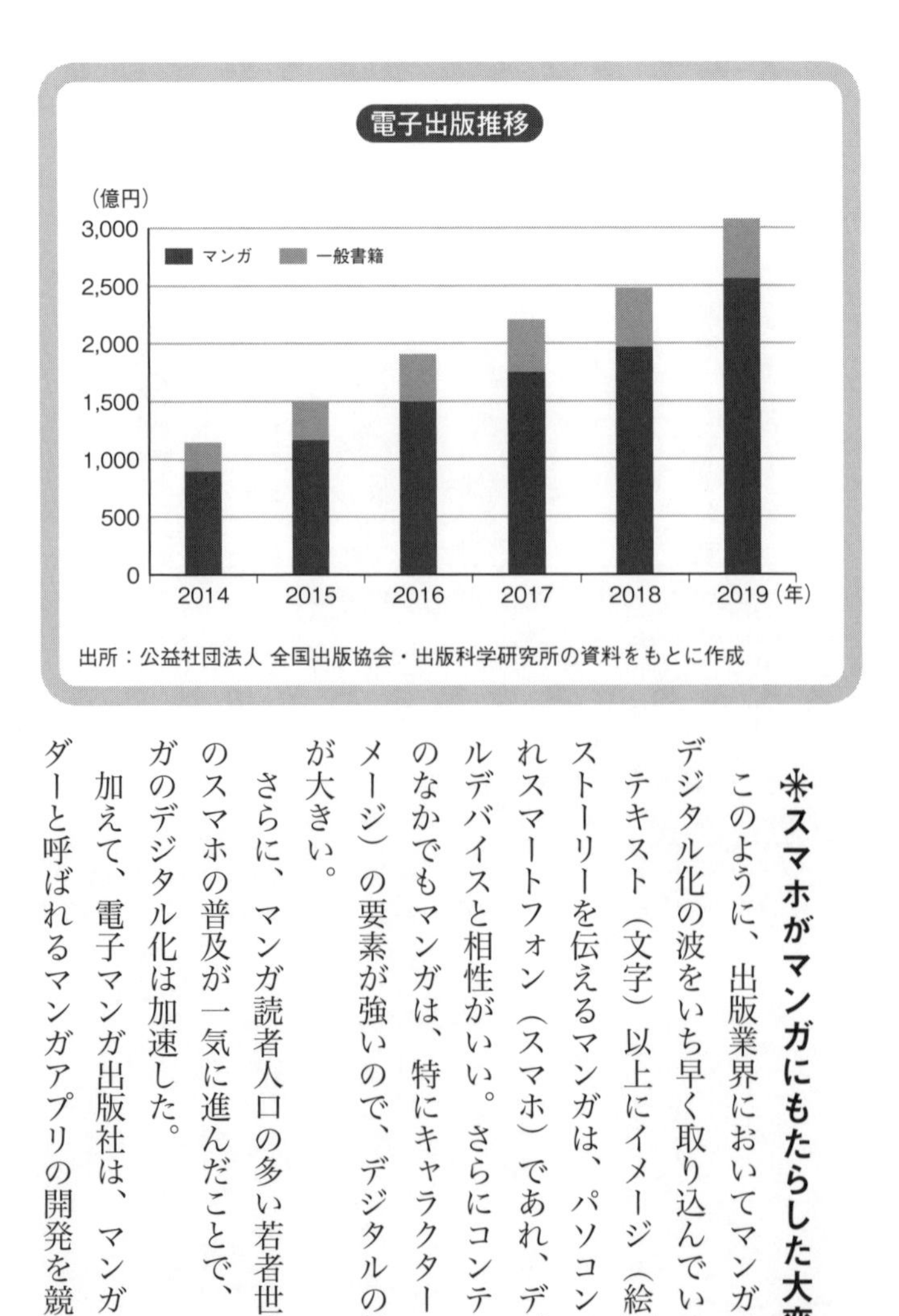

出所：公益社団法人 全国出版協会・出版科学研究所の資料をもとに作成

❋スマホがマンガにもたらした大変革

このように、出版業界においてマンガは、デジタル化の波をいち早く取り込んでいる。

テキスト（文字）以上にイメージ（絵）でストーリーを伝えるマンガは、パソコンであれスマートフォン（スマホ）であれ、デジタルデバイスと相性がいい。さらにコンテンツのなかでもマンガは、特にキャラクター（イメージ）の要素が強いので、デジタルの役割が大きい。

さらに、マンガ読者人口の多い若者世代へのスマホの普及が一気に進んだことで、マンガのデジタル化は加速した。

加えて、電子マンガ出版社は、マンガリーダーと呼ばれるマンガアプリの開発を競い、自社アプリへの読者誘導のため、大量のプロモーションをネット市場に投入した。結果、スマホで読めるマンガの量が、短期間で急拡大したのである。

こうして、スマホでマンガを読むことが、あっという間に一般的になるのだが、このことが、さらに大きな変革をマンガ市場にもたらした。

それは、従来の携帯マンガに代わって、ひとコマ単位の画面送りと縦スクロールによる、スマホ専用マンガの登場である。

日本では、スマホ以前に、携帯電話が電話機能を超えて発達し、モバイルでマンガを読むという習慣が、いち早く根付いた。スマホ登場以前の二〇〇〇年代の一時期、日本は世界で唯一、マンガをはじめとする情報を携帯で見るというモバイル文化を開花させた。この波のなかで「カワイイ」などという言葉も世界に羽ばたいていった。

この時期、携帯でマンガを読む、携帯でアニメを観るなどという現象は、日本以外では起こっていなかった。国際的なコンベンションで、日本の携帯のプレゼンは大人気で、常に大きな人だかりができていた。世界のモバイル開発とモバイル文化において、携帯で先頭を走っていた日本ではあったが、残念なことに、孤高の独走に終わった。追随する国が現れなかったのである。

追随する国が現れる前にスマホが登場してしまい、日本が先陣を切ったモバイル文化の波はスマホに取って代わられ、瞬く間に、日本も含めて世界は、スマホに傾斜していった。

✳スマホ専用マンガの登場で日中韓はどうなる

マンガは基本的に、ページの見開き状態をひとつの単位としてページ送りが行われ、ストーリーが進行している。したがって、マンガのデジタル化は、パソコンから始まった初期においては、紙のマンガをページごとに張り付けるところから始まった。

ところが、携帯、さらにスマホが普及すると、パソコンではなくモバイルでマンガを読むことが主流になる。当然、小さな画面での読みやすさのために、マンガはページ単位ではなく、コマ単位で画面表示を行い、コマ送りをしていく方式に進んでいった。こうして、まずモバイルでのマンガは、コマ送りが基本となった。

ところがスクロールの方向に関しては、いまでも大半が横スクロールである。マンガは、もともとページを右開きで読んでいたので、ページ送りからコマ送りに移行しても、右にコマを送っていく横スクロールなら、従来のマンガ読者との相性が良かったからだ。

そして、新たに誕生したスマホが携帯を凌駕していく。スマホにおいては、スクロールは縦スクロールが標準だ。しかし、マンガだけは横スクロールであるべきと、誰もが思っていた。そのために、次々に横スクロールを可能にするアプリが開発された。紙の上で誕生し、ストーリーが横に展開していくマンガでは、確かに横スクロールがなじむのである。

しかし、ここに来て、紙ではなく、初めからパソコンなどのデジタル機器上でマンガを制作する作家が登場してきた。ページという枠に縛られずに、コマ単位で制作するマンガ家が出てきたのだ。

コマ単位で進めるなら横スクロールにこだわる必要がない。それどころか、スマホの基本仕様である縦スクロールで創作するほうが、はるかに理にかなっているのである。

こうして、縦スクロールの、スマホ専用マンガが登場する。

コマ送りと縦スクロールは、「マンガの文法」を変える、変革ともいえる出来事である。紙のマンガのデジタル化という話ではなく、「デジタルマンガの登場」なのだ。

もとより「マンガの文法」など浸透していないマンガ後発の韓国や中国で、縦スクロールのマンガが次々に生まれ、ヒット作が出始めている。スマホで読むなら、縦スクロールが世界標準となるまでに、それほど時間はかからないだろう。

それでは、縦スクロールが世界標準となっていくなかで、日本のマンガの地位は落ちていくのか？　そうはならないだろう。なぜなら、コマ送りも、縦スクロールも、マンガ制作の技法の問題であって、マンガの本質であるストーリーの創作やキャラクターのイメージ創りにも、決定的な影響を与えることはない。

編集者というドライバーが運転技術を身に付ければ済むことである。むしろ、縦スクロールは、新しいマンガメディアの誕生という意味では、市場に多様性をもたらすことで、日本のマンガ市場にもプラスに働く可能性が大きい。

一方、ページをめくりながらという紙のマンガの読み方は変わらないだろう。ページの最後のコマの牽引力(けんいんりょく)、ページをめくるなり訪れる異世界——ページを繰(く)るダイナミズムは、マンガの醍醐味(だいごみ)だ。

デジタルによる時代と世界の変化に、どこよりもいち早く対応し、その恩恵を最大限に享受しているのは、実はマンガである。マンガは、デジタル化の波を受け、従来の紙による創作に加え、新たにコマ送りと縦スクロールという技法を開発し、スマホ専用マンガという新しい創作の分野を開いた。最初にこの技法を使い始めたのは韓国であるが、技法は取り込めばいいだけの話だ。最終的にこの創作チャンスを活かすのは、才能と経験を持ったクリエーターが多い日本ということになるに違いない。

するると、日本が創出するストーリーやキャラクターの表出機会が増える。どの国よりも大勢いる潜在的なマンガ家の出番が増えるチャンスなのである。

確かに、縦スクロールの登場で、韓国や中国でも、新しいマンガ創作ブームが訪れている。競争は激しくなっていく。しかし、ストーリーを生み出す力が健在な限り、新技法は、チャンスでこそあれ、ピンチではない。

日本には常に新しいストーリーとキャラクターを生み出す、人的、文化的な素地がある。新しい技法が普及しても、日本がマンガ創りに負ける道理はない。日本はコンテンツの天才なのだ。

❋アニメ産業市場は二兆円！

マンガと並んで、日本が世界に誇るコンテンツであるアニメは、マンガと同じように凄いのだろうか？

一般社団法人 日本動画協会が毎年出している「アニメ産業レポート」（二〇一九年版）によれば、広義のアニメ産業市場は、二〇一七年に初めて二兆円を超え、二〇一八年の総額は、二兆一八一四億円だった。ここで集計されている数字は、アニメおよびその派生商品に対し、最終のユーザーが支払った金額の推計値。すなわち、あらゆるメディアのアニメ関連商品の売上総額である。

具体的には、テレビ放送からの番組収入、劇場アニメの興行収入、ビデオパッケージ売上収入、ネット配信収入、商品化収入、音楽売上収入、遊興（パチンコ・パチスロ出荷高合計）収入、ライブ・イベント収入、海外売上（エンドユーザーへの売上）収入である。

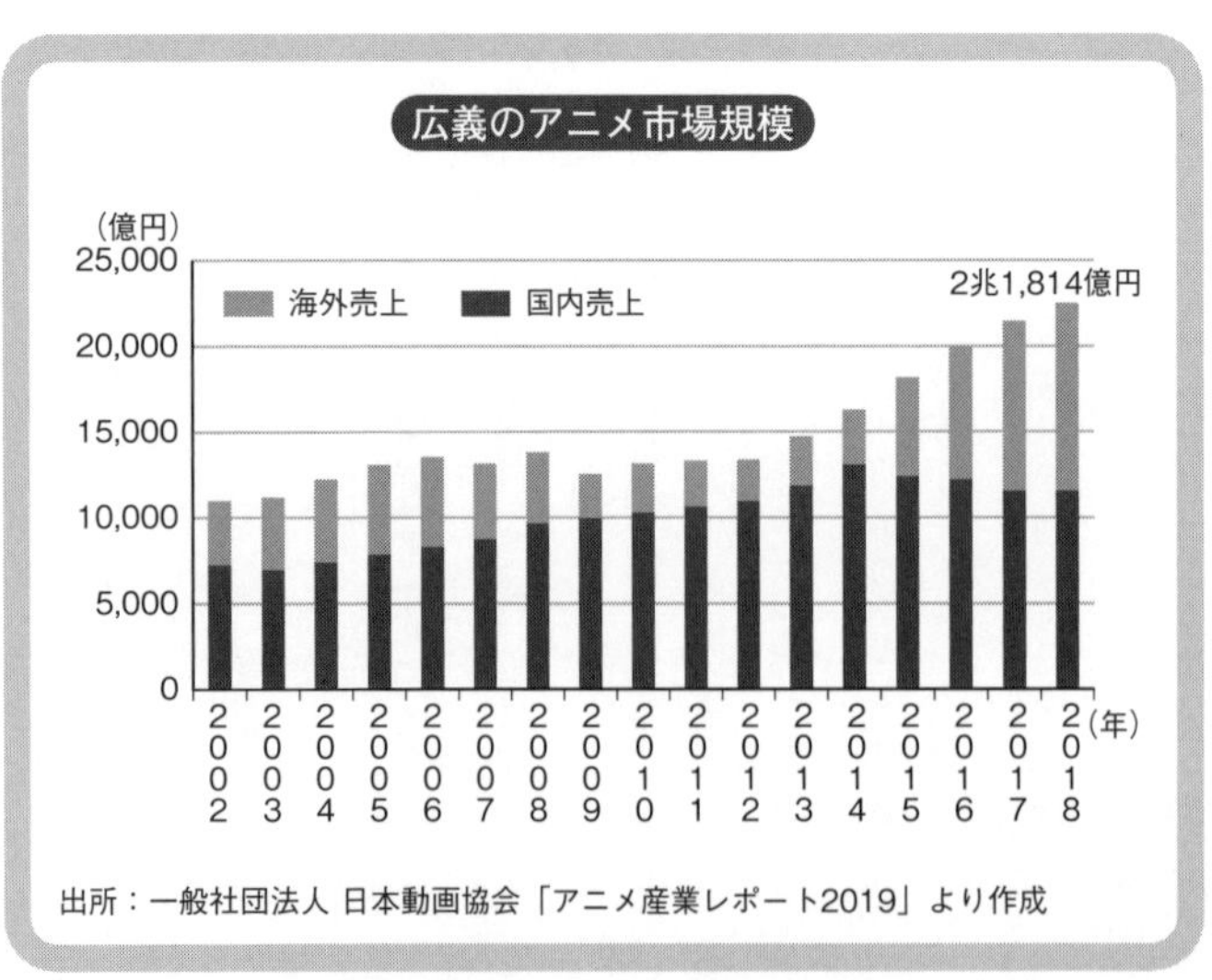
広義のアニメ市場規模
(億円)
25,000
20,000
15,000
10,000
5,000
0
海外売上
国内売上
2兆1,814億円
2002
2003
2004
2005
2006
2007
2008
2009
2010
2011
2012
2013
2014
2015
2016
2017
2018
(年)
出所：一般社団法人 日本動画協会「アニメ産業レポート2019」より作成

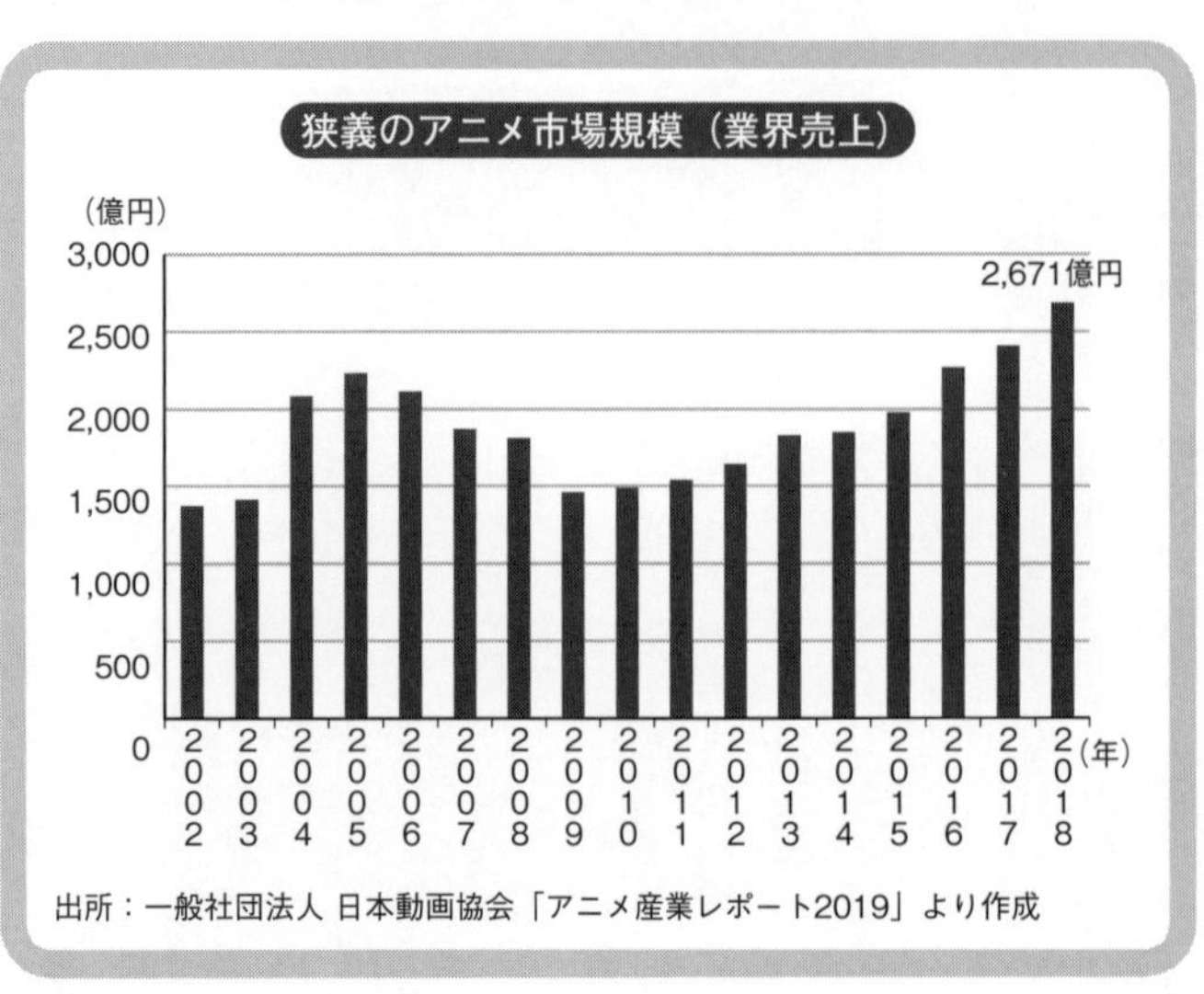
狭義のアニメ市場規模（業界売上）
(億円)
3,000
2,500
2,000
1,500
1,000
500
0
2,671億円
2002
2003
2004
2005
2006
2007
2008
2009
2010
2011
2012
2013
2014
2015
2016
2017
2018
(年)
出所：一般社団法人 日本動画協会「アニメ産業レポート2019」より作成

二次的、三次的売上も含み、全額が日本のアニメ業界に入ったわけではない。海外売上には、海外の映画館でアニメ映画を観た人が支払った入場料などが集計されるが、日本に入ってきた金額というわけでもない。日本のアニメ産業の、全世界レベルでの経済効果や貢献度を示しているグラフである。

同じく日本動画協会のレポートによれば、二〇一八年、日本の狭義のアニメ業界市場規模は、過去最高の二六七一億円を記録した。ここでの集計値は、日本のアニメ制作会社の売上を推計して合計したものである。

二〇〇〇年代半ばに見せた上昇トレンドを上回って市場は成長している。

つまりアニメは、業界自体では二六〇〇億円産業だが、その八倍を超える経済効果を世界中で生み出していることになる。それだけ派生的に利用され、業界を超えてコンテンツとしての認知度が高く、そのことが、またさらなる派生利用を生んでいる。実際に作品としてのアニメを観たことはなくても、ＣＭや広告でアニメの人気キャラクターを見かけることはよくあることだ。

＊アニメ：マンガ：ゲームは二六〇〇億円：五〇〇〇億円：二兆円

狭義のアニメ市場と比較して、マンガとゲームの業界規模を見てみよう。

マンガの年間売上額は、二〇一九年、雑誌・単行本・電子書籍すべて合わせて、四九八〇億円であった（出所：「出版指標年報」）。マンガの市場規模は一九九五年に五八六四億円でピークを打ち、出版の紙離れという構造変化とともに一方的に減少してきたが、二〇一二年に四三四九億円で底入れしてから電子書籍の伸びもあり、ここ数年、再び上昇が確認できる。二〇一九年には四九八〇億円になり、五〇〇〇億円市場復活だ。

この五〇〇〇億円は、全額がマンガ業界の収入である。

一方、ゲームの市場規模は、オンラインゲーム、ゲーム機ソフト、アーケードゲームなどすべてを合わせて、二〇一八年は二兆一七一二億円であった（「デジタルコンテンツ白書2019」、前出）。

特にオンラインゲームの伸びは著しく、オンラインゲームだけで全体の六八％を占めている。オンラインゲームに牽引（けんいん）されて、ゲーム市場は五年以上にわたり年率で一〇％を超える成長を続けている（これは日本だけでなく、世界的に起こっている現象である）。

これらの金額は、ゲーム業界への流入額である。したがって、業界売上で見た市場規模は、アニメ：マンガ：ゲームで、二六〇〇億円：五〇〇〇億円：二兆二〇〇〇億円。ざっくりいって一：二：八である。

さて、あなたの子供が、アニメかマンガかゲーム、いずれかのコンテンツ業界で働きたいといって相談に来たら、あなたは、どの業界を勧めるだろうか？

❋自前のメディアを持つマンガとゲーム、持たないアニメ

マンガ、アニメ、ゲームを、二次利用や三次利用といった派生的なビジネスの流れで見ると、一〇年前は、川上から順に「マンガ→アニメ→ゲーム」であった。

ゲーム会社はマンガ原作物がアニメ化されるときに製作委員会に参加し、アニメから素材をもらってゲーム開発をするというようなビジネスモデルが主流だった。

ところが今日、同じ検証をしてみると、どうもゲームのほうが、アニメよりも川上に位置している事例が、件数も規模の面からも大きいように見受けられる。

アニメが川下に動いたのではない。ゲームが川上に移動してきたのだ。スマホとSNSの登場で、ゲームのビジネスが大きく変容してきたからだと考えられる。

実際、ここ数年のアニメ作品の原作をたどってみると、ざっくりいって、マンガ：ゲーム：オリジナルが五：二：三といったところだ。マンガ原作は従来から多いが、ゲーム原作もそこそこに多い。

すでに述べたように、マンガは、あらゆるコンテンツのなかで最も川上に位置している。マンガは基本、オリジナルであり、「メタ」である。

そして今日では、ゲームが「メタ」の位置を占めることが多く見られるようになってきた。『鋼(はがね)の錬金術師』のようなヒット作も出た。ゲーム原作のマンガもたくさん出てきている。同様に、『ドラゴンクエスト』のようなゲーム原作のヒットアニメも少なくない。

アニメは、マンガだけではなくゲームにも川上を譲っているのが現状である。

また、マンガとゲームはオリジナルを初出させる自前のメディアを持っている。マンガは雑誌、ゲームはコンソール（家庭用ゲーム機）である。

一方のアニメは自前のメディアを持たず、オリジナルの初出は、テレビか映画かネットか、ということになる。しかし、いずれも自前のメディアではないので、勝手に創っても市場に出ていく保証がない。企画開発の自由度には、メディアの事前確保という制約が付く。テレビや映画といったマスメディアへの展開は、制作費だけでなく倫理基準やスポンサーなど、制約のハードルが高い。しかし、テレビや映画が持つユーザーへの訴求力は、けた違いに大きい。そこに露出ができれば、その先のパッケージ化や商品化、あるいは海外展開の可能性も広がる。一気にコンテンツのマルチ展開（派生的展開）が可能になるのだ。

マンガとゲームは、自らメディアを持ち、もともとは閉じたマーケットでも自力展開できるビジネスモデルである。ところがアニメは、他者が運営するメディアと協働し、マルチ展開することが前提のビジネスモデルなのである。

前掲の「アニメ産業レポート」が、アニメ産業の広義の市場規模を毎年計測しているのには、そうしたアニメとメディアの関係性が背景にある。アニメはメディアでのマルチ展開が既定路線なのである。

一方、マンガとゲームは、自前のメディア（雑誌とゲーム機）を超えてコンテンツのマルチ展開を図るとき、テレビや映画に直結する「アニメ化」が重要な戦略となってくる。

アニメは、上流というよりは中流で川を堰き止めて、下流の大きな流れのなかへ送り出す「堰」のようなポジションを採っている。マスへの導入口、ニッチからマスへの連結環になっている。

❋アニメの制作会社が儲からない背景

ところで、アニメ制作会社は、そのプレゼンスほどには儲からない。

長者番付で上位に名を連ねるマンガ家は大勢いる。高級外車を乗り回し、肩で風を切って歩いているゲーム長者も結構いる。ところが、アニメ業界には羽振りのいい業界人がいない。過去最高の売上を更新して、業界外からはうらやむ声も上がるのだが、業界内で景気のいい話はあまり聞こえてこない。

アニメ産業の特性といってしまうには忍びないのだが、どうもあまりいい思いをしている人がいない、残念な産業である。

アニメ制作会社は、自前のメディアを持たず、しかもマンガやゲームより川下からのスタートで、初期投資リスクが大きい（上流ほど流れは小さく、素足でも川に入れるが、下流に行くほど装備が必要だ）。そこで、テレビ局、映画会社、音楽事務所、ときにパチンコ運営会社などと一緒に共同出資し、リスクを分散するという手法を採る。製作委員会方式と呼ばれているものだ。アニメの制作委託の仕組みとしては、これが現在の主流である。

アニメの著作権は製作委員会に帰属する。アニメ制作会社は権利の一部しか持たないため、アニメがヒットしても、世間が想像するほど儲かるわけではない。

アニメ作品の主戦場は、まずはテレビである。そのため製作委員会では、テレビ局の力が強い。スポンサーも連れてくるので、さらに声は大きくなる。ところがテレビ局のビジネスモデルは、コンテンツの制作会社とはまったく異なる。視聴者の前にスポンサーがいて、クオリティの前に視聴率がある。

しかし、作品の出来・不出来、興行的成否は、一義的には制作会社の責任とされる。もちろん興行の不振は配給会社にとっても年度収支的にはダメージだが、会社の評判が大きく左右されることはない。が、制作会社はそうはいかない。失敗は評価を落とし、将来にわたって負の遺産を背負うことになる。

結局、制作会社は、最終的に自腹を切ることになってでも、作品のクオリティにコミットすることになる。そのためのコストも、当然、制作会社の負担となる。しわ寄せは、さらにアニメ制作に携わる社員や非正規社員にも及ぶ。改善されつつあるが、アニメ制作会社の労働環境の悪さが一時期話題になったことの原因でもある。

❋人類史上最大の訴求力を持つメディア――スマホ

さて、視点をメディア側に移してみると、あらゆるコンテンツ制作者にとって、とんでもない時代がやってきている――インターネットとスマホの普及だ。

スマホは、人類史上最大の訴求力を持つメディアである。簡単に国境も超える。世界中のスマホ保有者は、あらゆるコンテンツの現実的ユーザーとなっている。

マンガもアニメもゲームも、いずれもスマホというニューメディアと親和性が高いのだが、どこよりも早くこのメディアに取り組んだのは、ゲームとマンガである。ゲーム制作者は、スマホというニューメディアを活用して、SNS上でのゲームというソーシャルゲームを開発した。マンガ制作者は、スマホ専用の読書アプリやデジタルマンガを開発した。

インターネットとスマホの普及は、コンテンツを従来のメディアから解放し、初出のハードルを一気に下げた。コンテンツを創る者は、誰でも簡単にネットで公開することができる。参入障壁がなくなったのである。

すると、新規のゲーム制作者がスマホ市場になだれ込んで、スマホ専用のユニークなソフトを開発し始めた。日本発ではないが、『Ｐｏｋéｍｏｎ Ｇｏ（ポケモンＧＯ）』のようなオンラインゲームも登場した。

これを迎え撃つために、既存の大手ゲーム会社もまた、自らが展開して築いてきた「ハード（ゲーム機）とゲームソフトのセット」というビジネスモデルを犠牲にして、スマホによるオンラインゲームに大きく舵を切った。結果、日本のオンラインゲーム市場は、規模においてゲーム機ソフトと並んでいた二〇一一年から、二〇一八年には四倍の一兆四七〇〇億円にまで急拡大したのである。そして、その勢いはまだとどまるところを知らない。

　マンガもまた、スマホと親和性が高い。いち早くスマホ対応のコマ送りアプリが開発され、ついにはスマホ専用のデジタルマンガが登場した。二〇一八年から電子マンガの伸びが貢献したことで、マンガ市場が横ばい状態から脱却して上昇し始めたのは、先述の通りである。マンガはスマホという新しいメディアを得て、新たな時代を開こうとしている。

ところが、スマホというメディアを使いあぐねているのが、アニメである。もちろんスマホは、巨大なニューメディアとしてアニメの露出機会を増やすことには貢献しているが、ソーシャルゲームやデジタルマンガのような、スマホの機能を取り込んだスマホ専用的な新機軸は打ち出せていない。

❋ピクサーやディズニーと日本アニメ業界の大違い

ディズニーのアニメーションを引き合いに出すまでもなく、世界のアニメーション市場は拡大している。そのなかで日本のアニメも、世界市場を含めれば、産業として拡大している。スタジオジブリや京都アニメーションなど、日本のアニメ制作に対する評価も高い。

ところが、業界の将来像という部分では、マンガやゲームほどには視界が開けていない。その一番の理由は、ここまで述べてきた「川の中流」という位置取りにあったように思われる。

オリジナルの創出とマスメディアへの展開という、コンテンツ・ビジネスを成立させる二大要素において、これまでアニメは中間的な役割を担いながら、いつの間にかその位置が、マスメディア展開という川下寄りにシフトしていたのだ。

それはどういうことかというと、アニメ業界にはマンガやゲーム、テレビや広告、あるいは他のコンテンツ領域から企画や開発が押し寄せて、その受託だけで業界が手いっぱいになっている状態なのだ。アニメ制作では製作委員会方式が主流になり、アニメ業界のビジネスは受注生産が大勢を占めてしまった。オリジナルの企画開発という「メタ」要素が薄れてきているのである。

もちろん、『君の名は。』や『天気の子』のような大ヒットもあり、ジブリ作品もある。『ONE PIECE』『名探偵コナン』『ポケットモンスター』と、映画興行成績上位を占める定番アニメもある。テレビの深夜アニメ帯も健闘している。しかし、インターネットとスマホという時代の流れのなかで、業界全体として川下にシフトしている感は否めない。

川下が悪いというのではない。ただ川下に行くほどに、カネとシステムが必要になってくる。装置産業的な要素が増えていく。そこまで巻き込んでいくダイナミズムは、残念ながら、日本のアニメ業界に窺うことはできない。

製作委員会の下請では、アニメ業界は成果の内部蓄積ができないので、業界としての拡大再生産が難しい。ピクサーもディズニーも、ヒット作が出れば、その果実は、将来の作品制作の原資として循環してくる。一方、製作委員会方式では、一件ごとに業者が集まり、終われば精算し、解散である。次回作は、また別の業者との組み合わせで、ゼロからのスタートとなる。蓄積と拡大再生産の仕組みがないのである。

❋中韓が日本人クリエーターを狙う背景

では何をすべきなのか？　まずは少し川上に回帰すればいい。アニメ業界が川下にいても、もはや勝ち目はない。川上のオリジナルと川下の資本をつないで、いまからディズニーを創るくらいの気概が必要だ。

もともよりアニメは、マンガと並んで、いまより川上にいたのだ。別に日本のオリジナル創出力が衰えているわけではない。そちらにリソースを割けない事情にはまり込んでいるだけなのだ。ちょっと我慢して、受注生産ビジネスを減らし、オリジナルの創出にリソースをシフトすればいい。そう筆者は考えている。

実は、中国と韓国は、そのことをよく理解している。だからこそ、日本人のクリエーターを積極的に採用し、オリジナルアニメを創作して、業界を築こうとしている。彼らにはマンガのような巨大な川上が存在しないので、「アニメ」を獲れば、「メタ」としてコンテンツ業界に君臨できるのだ。

日本のアニメ業界も「メタ」に回帰すれば、大勢のクリエーターが集まってきて、オリジナルを創出できる。マンガと同じで、日本には十分な潜在的オリジナル供給力がある。

コンテンツを発表し掲載してくれるプラットフォームは、これからいくらでも出てきては淘汰(とうた)されていく。それはインターネットとスマホの著しい進化と、その普及スピードを見れば、容易に想像がつく。しかし、最後はコンテンツ勝負だ。ユニークなオリジナルコンテンツを創り続けて蓄積していく限りは、世界の市場で淘汰されることはない。

幅広く、オリジナルアニメを創出していけばいいのだ。ストーリーとキャラクターを創り出す日本の強みは、マンガもアニメも一緒だ。そこに日本の十分な優位性がある。

『君の名は。』も『天気の子』も、日本の神話と巫女（みこ）の物語だ。『もののけ姫』も『千（せん）と千尋（ちひろ）の神隠し（かみかく）』も、日本の神々の世界を描いている。日本にしか創れないユニークな素材があふれているのだ。

――日本はアニメも凄いのだ。

＊マンガは依然「ジャパン・ユニーク」

今日、コンテンツ産業は、各国入り乱れて世界市場でしのぎを削っている状態だ。そんななかにあって、マンガだけは依然、「ジャパン・ユニーク」として異彩を放っている。

その背景には、マンガは個人技から始まったことと、「ジャパン・ユニーク」という地位を得る時代的余裕があったことが挙げられるだろう。マンガは、テレビなどないアナログ時代に紙媒体で生まれ、貸本屋と雑誌という流通媒体に乗って発展した。時代はインターナショナルでもグローバルでもなかった。

「貸本屋」と「雑誌」という二つの存在は大きかった。コンテンツが今日のような流通機構を持たない時代において、この二つがマンガのプラットフォームを形成し、マンガのフロー

（初出、貸出）とストック（集積）を担ったのである。

アメコミには、複数の作品が掲載される雑誌はなかったし、コミックショップもレンタル形式ではなかったので、マニア（コレクター）市場を作るにとどまった。マンガは、貸本屋と雑誌という流通媒体を持ったことで、「マンガは文化だ」というまで日本人の生活に浸透し、やがて巨大市場を作り上げることができたのである。

マンガには、世界に類を見ない「ユニーク」に育っていく「天の配剤」があった。

アニメとゲームは、個人で制作することはない。チームでの創作は標準化していく。流通も、レンタルからネット配信まで、良くも悪くも市場は効率化を求めて世界標準化していった。日本のアニメとゲームは、二〇〇〇年代、一時、世界市場で大きなブームを巻き起こしたが、結局、世界的拡大と標準化のなかで熾烈（しれつ）な競合にさらされることになった。

いまでもマンガは、マンガというだけで「日本製」と認知されるが、アニメやゲームはそうはいかない。したがって、アニメとゲームは、世界市場のなかで再度、日本発のブランド（ジャパン・ユニーク）を構築しなければならない。海外で差別化できるコンテンツをどうやって創り出すか、どうやって販路を広げるか、それがこれからの日本のチャレンジであり、チャンスなのだ。

＊二一世紀初頭を牽引した「iモード」

一九九五年、年明けとともに起こった阪神・淡路大震災でインターネットの威力が発揮され、一一月には「Windows95」が登場した。日本では、この年をインターネット元年と呼んでいる。

携帯電話の契約台数もまた、この年を境に、一気に拡大した。一九九九年には「iモード」が誕生。日本は世界に先駆けて、携帯にインターネットを取り込んだ。

二〇〇一年には、日本の携帯電話普及率が五〇％を超える。そして、二〇〇七年の「iPhone」登場に始まるスマートフォン革命に市場を奪われるまで、二一世紀初頭の十数年間、「iモード」が牽引して、日本の携帯は圧倒的な進化を続け、世界のどこにも見ることのないケイタイ文化を築いた。

この時期に日本のケイタイ文化を引っ張ったのは、マンガやアニメ、そして、オタクやカワイイに代表されるポップカルチャーである。

もとよりエピソード単位で気軽に楽しむマンガとアニメは、電車などで移動中でも、簡単に操作ができて片手に収まる携帯と、親和性が高い。

そして、写メと着メロ・着うたの登場である。すでにプリクラを大流行させていた日本女

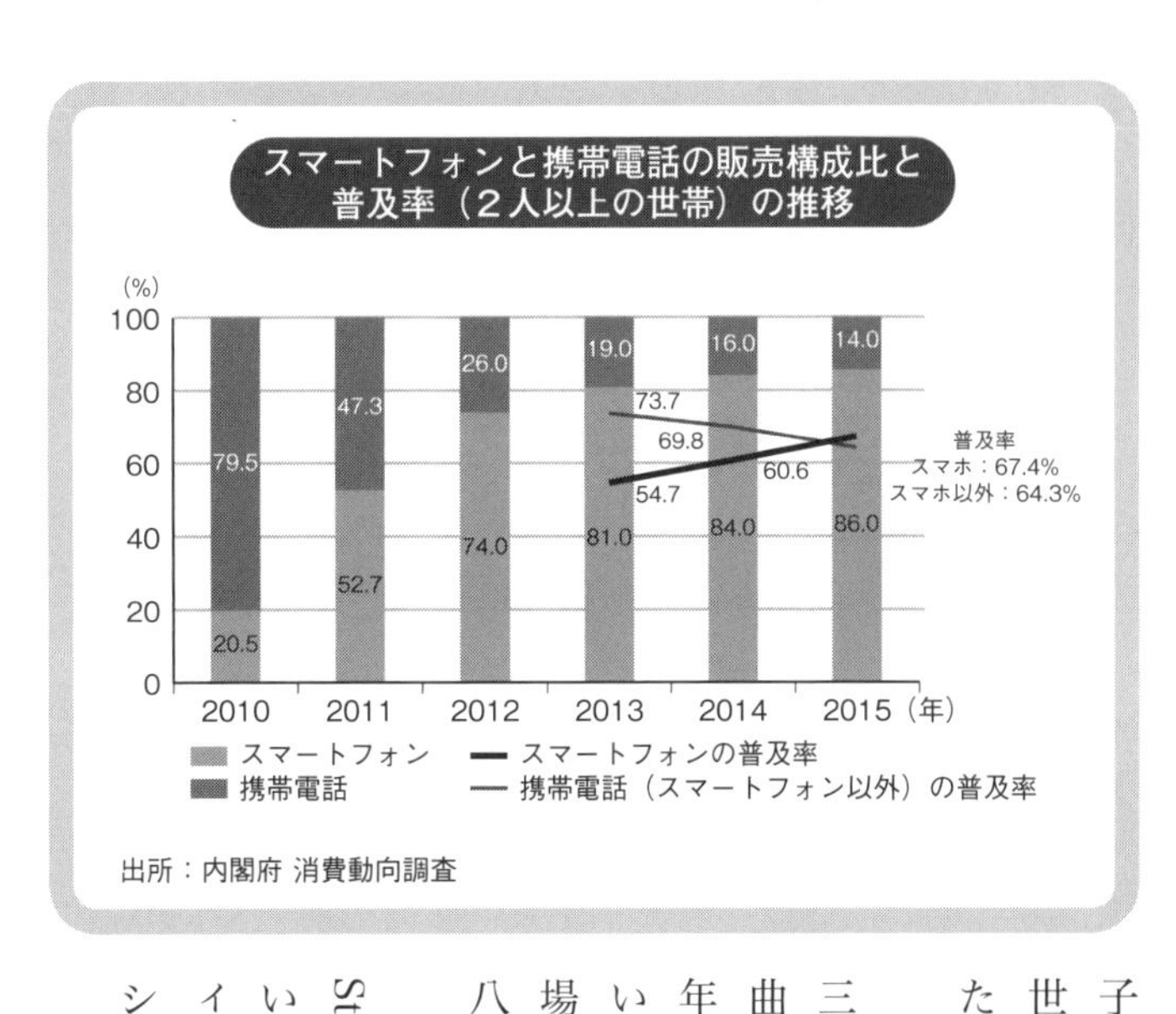

子は、カメラ付き携帯の登場（一九九九年、世界初）とともに、一気に写メを流行らせた。

着メロとそれに続く着うた（二〇〇二年、三〇秒程度）と着うたフル（二〇〇四年、一曲分）は、ピーク時（二〇〇五〜二〇〇九年）には一五〇〇億円を超える市場を作っていった。二〇一一年当時の日本の音楽配信市場の売上は、着うたフルとCDレンタルで、八〇%を超えていた。

一方、「iTunes Music Store」(現・iTunes Store）は二〇〇五年に日本上陸を果たしていたが、著作権や契約の関係で日本のアーティストの楽曲が限られていたため、同時期のシェアは五%程度であった。

なぜアップルの「ｉＴｕｎｅｓ」は、日本

の音楽配信市場でシェアを取れなかったのか？

日本の消費者が欲しいコンテンツが揃っていなかったからである。

一方、日本で目覚ましく進化した国産の「iモード」携帯（いまでいうガラケー）は、なぜ海外で流行らなかったのだろうか？

海外の消費者が欲しいコンテンツが揃わなかったからである。あえて「iモード」携帯で見たい聴きたいコンテンツがなかったからだ。

二〇〇〇年代初頭、日本産のマンガとアニメは、アナログ環境下で確実にファンダム（独自の愛好家文化）を創り出していたが、所詮、オタクの市場でしかなかった。デジタルメディアで一気に広がっていくほどのエネルギーは、まだ蓄えられてはいなかった。

また、二〇〇五～二〇〇六年当時の日本のマンガ市場は五〇〇〇億円もあったのに対し、米国では一〇〇億～一五〇億円程度の規模。依然、小さい市場であり、エネルギーの総量は知れていた。

もし当時、世界でマンガやアニメが日本と同じくらい定着しており、日本並みに数千億円規模の需要が存在していたら、「iモード」携帯は、日本と同じくらい世界で広まっていた可能性がある。日本の携帯技術が世界スタンダードになっていたかもしれず、世界中が携帯電話の機能開発にしのぎを削り、日本発のケイタイ文化が花開いていたかもしれない。

＊ゲームの市場規模は二〇兆円に

コンテンツを視聴するデバイスや、コンテンツを陳列するプラットフォームなどの「ハード」をいくら開発しても、要は欲しいコンテンツがなければ利用者は増えていかないということを、我々はすでによく知っている。世界が欲しがるコンテンツを用意して、ハードとソフトを一緒にして出ていかなければならない。

そのビジネスモデルは、かつてゲーム業界では当たり前に実践されていた。ゲーム市場を制したのは、ゲーム専用機とコンテンツをともに自力開発し、その後もゲーム機を更新し続けた任天堂（ファミコン、一九八三年）であり、ソニー（ＰｌａｙＳｔａｔｉｏｎ、一九九四年）であり、マイクロソフト（Ｘｂｏｘ、二〇〇二年）であった。

しかし、インターネットとスマホの普及は、ゲームソフトとゲーム機というモデルを駆逐した。世界中のユーザーはスマホをゲームデバイスとして利用し、オンラインのゲームソフトを廉価（れんか）で、あるいは無料で楽しむことができるようになった。ゲーム市場はゲーム機というハードから解放されて、驚異的な拡大を経験することになった。

一三六ページの図表を見ると、世界のゲーム市場の成長が著しいことに驚く。黒色がゲームで、濃いグレーの音楽、グレーの映画と比較して、その成長ぶりがいかに突

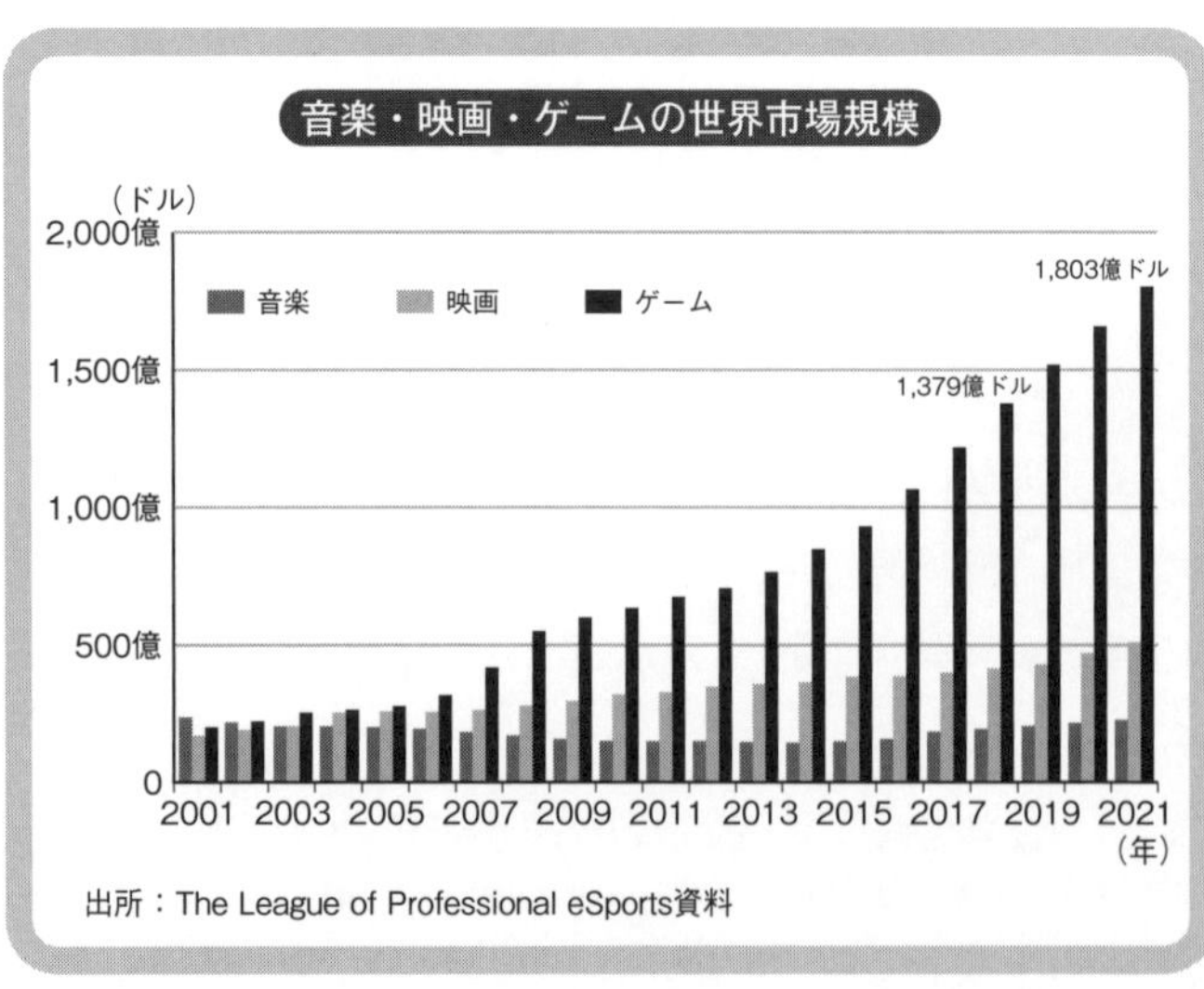

出所：The League of Professional eSports資料

出しているかを見て取ることができる。余談であるが、この図表を作成したのは、「eスポーツ（electronic sports）」リーグのLPE（The League of Professional eSports）という団体である。

一九七〇年代半ばに登場したテレビゲーム（ゲーム専用機をモニターとしてテレビにつないで遊ぶ）は、長いあいだ、ゲーム専用機とソフト（コンテンツ）の開発競争を繰り広げ、世界規模のゲーム市場を創り出した。

そして、スマートフォンとインターネットの普及によって新たにオンラインゲームが加わり、ゲーム市場規模は大きく拡大し、二〇一八年には、一〇年前から倍増の一三七九億ドル（約一五兆円）に達した。二〇二一年までには、世界のゲーム市場規模は、一八〇三億ドル（約二〇兆円）に到達すると予測されている（オランダの海外ゲーム市場調査会社「Ｎｅｗｚｏｏ」の調査による）。

日本のゲーム市場も同様の成長を続け、二〇一八年、アーケードゲームなどを加えて市場規模は二兆円を突破している。ゲーム産業の大躍進は、日本も含めた世界的な動向である。二〇一九年には、グーグルやアップルなどのプラットフォーマーが、ゲーム市場への参入を相次いで発表した。

これらプラットフォーマーが参入してきた背景には、次のような事情がある。

①　拡大を続けるゲーム市場

②　クラウド型ゲームの登場（ゲームをストリーミング配信し、オンデマンドで利用できるサービスが始まった。専用ゲーム機を必要とせず、膨大なデータ処理ができるクラウドサービスを提供している。プラットフォーマーとの親和性が高い）

③　次世代通信規格５Ｇの登場（クラウド型のゲームにとって最大の課題は、操作性を維持する通信速度の確保であるが、５Ｇがこの課題を解消すると期待されている）

④　ｅスポーツの登場（余暇時間の消費動向で、ともに大きな分野であるエンターテインメントとスポーツが合体し、ｅスポーツという巨大レジャーが現れた）

＊ゲームの可能性は無限大

ゲームはテクノロジーとともに進化する。ゲーム市場に見るこの現象は、自動運転車をはじめとする「AI＋IoT」という地球規模の変化のなかで起こっていることの一部である。なぜなら、ゲームは日々進化するテクノロジーの実験台であり、シミュレーターとして必要とされているからだ。ゲームは、テクノロジーの持つ情報の意味や効果を初出する、格好のメディアなのである。

テクノロジーの進化が人類の経験したことのない社会変革（パラダイム）をもたらしていることと相まって、ゲーム市場は、これまでとはスケールの違うパラダイムを迎えている。

二〇一六年にリリースされた、『ポケモンGO』は世界中を熱狂に巻き込んだ。『ポケモンGO』は、現実の風景のなかにバーチャルなポケモンを忍び込ませ、これをデバイス上で捕獲していくという、いわゆるAR（Augmented Reality）、拡張現実のゲームである。そのなかで、単なる機能以上に重要な役割を果たしているのが、位置情報テクノロジーである。思いもかけない場所にスマホをかざす人たちがぞろぞろと集まってくる様は、バーチャルターゲットに心を奪われたゾンビの出現を思わせる、異様な光景だった。

いずれにしても、テクノロジーと合体して、いままでにないゲームが登場し、私たちを驚かせた。

ＡＲも、ＶＲ（Virtual Reality）すなわち仮想現実も、ゲームに限らず私たちの生活に入り込んできている。ＶＲを使った医療トレーニング、防災や自動運転の実験、ＡＲを使った観光や不動産物件の内覧など、挙げていけば切りのないほど、様々な分野でサービスやイベントが行われている。

元来ゲームは、目標を数値化・図式化し、達成度を計測・可視化することで、目標を人間に与え、我々のモチベーションを上げることに役立ってきた。ポイント制度などは、子供のお手伝いからマイレージまで、遊び心と忠誠心をあおるポイント付与の仕方も含めて、広く一般化したゲームの手法と同じだ。

ゲームの利点は、サービスや行動を、このように数値や図式を駆使してコンテンツ化し、対象となるサービスや行動に対する人々の関心を高め、商材化したり取引可能な形に転換したりすることである。

そこにテクノロジーの急激な進歩が押し寄せて、いままで思いもしなかったあらゆる事象が数値化・図式化され、「情報」として扱うことが可能になった。ゲーム化は、テクノロジーの実験を可能にしているだけでなく、テクノロジーが私たちの現実の生活に入り込んで定着することに、大きな役割を果たしている。朝、体調に合わせ、今日は何を食べたら良いかなど、私たちのプライベートの欲求まで点数化し、教えてくれるのだ。

今後、私たちは好むと好まざるとにかかわらず、ゲーム感覚だけは磨いておかないと、テクノロジーの利用だけでなく、時にその侵入を拒むことも含め、テクノロジーがもたらす時代の変化に対応できなくなっていく。

✻コンテンツの枠を超えたeスポーツ

ほとんどのコンテンツでは、ユーザーは受け身だ。ところがゲームは、ユーザーが主導権を持つコンテンツである。ユーザーがアクションを起こさないと、コンテンツが始動しない。ユーザーが一人あるいは複数でゲームに参加し、自分だけ、自分たちだけのコンテンツを創り上げていく。インタラクティブな、お互いに作用し合うコンテンツである。

ソーシャルゲームはリアクションの連鎖であり、他者とのコミュニケーションでもある。お互いに顔を合わさず言葉も交わさないでいても、そこにはコミュニケーションが発生しており、交流が行われているのだ。

ソーシャルゲームがSNSを通じ、これまでの時代にはなかったタイプの人のつながりや、交流を介しての新しいエンターテインメントを創り出している。今日、ゲームの持つ意味は、単なるコンテンツの枠を超えて、重要である。

写真：「Fortnite World Cup」の会場の様子（出所：New York Daily News）

ｅスポーツとは、複数の人がビデオゲームやオンラインゲームで競い合う「競技」のことである。

もともと、何人かの仲間が集まってバトルゲームで戦ったり、スコアゲームで競ったりすることはあった。これが仲間同士の遊びの範疇を超えて、スポンサーが賞金を提供するような「競技大会」へと発展していった。

そのなかで賞金稼ぎを目指すプロゲーム選手も誕生した。二〇一八年には、「一般社団法人 日本ｅスポーツ連合」という団体が設立され、プロライセンスの発行を始めている。

すでにいくつかの国際大会も開かれており、二〇一九年七月にニューヨークで開催された「Fortnite World Cup（フォートナイト・ワールド・カップ）」の賞金総額は三〇〇〇万ドル（約三三億円）であった。

この『Fortnite』とは、世界的に大ヒットしたバトル&アクションゲームである。米国エピックゲームズ社の作品で、残念ながら日本産ではない。

＊オンラインゲームで再び世界制覇を

テレビゲームの発祥は一九七〇年代の米国であるが、ソフトが付いていかず精彩を欠いていた。すると一九八三年、任天堂がファミコンをもって登場し、「ニンテンドー」はあっという間に世界のゲーム市場を席巻した。続いて一九九〇年代には、ソニーが「ＰｌａｙＳｔａｔｉｏｎ」を開発して参入。二〇〇〇年代に入って米国マイクロソフトが「Ｘｂｏｘ」で追随してきたが、世界のゲーム市場は最近まで、ずっと日本が牽引してきた。

二〇一〇年以降のテクノロジーによる映像技術の進化は、ゲーム市場で米国の地位を大きく飛躍させた。映像と操作性の進化は、スポーツゲームや、開発費の大きなバトル&アクションものを押し上げ、米国は日本と入れ替わって世界一となった。

さらに中国の台頭もあり、相対的に世界のゲーム市場における日本のシェアは低下し、米国と中国に次ぎ世界三位である。

しかし日本の市場規模は、いまや二兆円を超えており、しかも年率一〇%超で拡大している。日本のゲーム市場も絶好調なのである。

最近の日本は、テクノロジーの開発分野で、米国、中国、さらには韓国の後塵（こうじん）を拝すことが多い。VRやAR、AI、5Gや8Kといった、テクノロジーの開発ニュースで近年、話題に上らない日本……ゲーム業界も、低落傾向にあると誤解されている。

確かに、従来、日本が席巻していたコンソール（家庭用ゲーム機）でのプレゼンスは低下した。ただオンラインゲームの市場では、勢いを復活させている。前述のように、日本がケイタイ文化で世界を制覇することは幻に終わった。しかし、今回はスマホのオンラインゲームで、再度、世界制覇のチャンスが回ってきた。トランジスタやウォークマンの時代から、携帯電話やスマホのような片手サイズの機械は、日本の得意分野なのである。

スマホという世界共通のデバイスが普及したことで、前回は幻に終わった世界制覇を、オンラインゲームの世界で実現することは可能だ。日本人の子供が片手でスマホを自在に操っているのを見るたびに、そう思う。

川上のマンガと川下のリアル映像（映画など）のあいだには、何層ものコンテンツの層がある。リアル映像においては、リアルに近ければ近いほど、あるいは大掛かりであればあるほど、この分野は米国が得意とするところだ。米国の次は中国であり、この両国の上に出るのは至難の業。ところが、マンガに近いベタな領域で、コンパクトに良質なコンテンツを創るのは、日本のお家芸なのである。
日本の大チャンスではないか。

第三章　米国・欧州・中国のコンテンツ戦略

＊日本にもフロンティアを

いまや世界の映画・エンターテインメント業界の頂点に立つディズニー社の創始者ウォルト・ディズニー（一九〇一～一九六六年）はシカゴ生まれである。父はゴールドを目指して西へ向かった一群の人たちのなかの一人だった。

絵を描くことが好きで、マンガが大好きだったウォルトは、第一次世界大戦に志願兵として従軍し、復員したあと、カンザスシティーでアニメーターの職を得る。そこから転じて失敗を重ねながら、ついにロサンゼルス近郊のバーバンクにやってくる。時は一九二〇年代の半ば、ハリウッドの創成期。まさに、「right place on the right timing（良いときに良い場所にいる）」であった。

ビル・ゲイツ氏は東海岸のハーバード大学を中退し、ポール・アレン氏とともに、ニューメキシコでマイクロソフトを起業する。一九七九年、彼の生まれ故郷シアトル近郊にマイクロソフトを移転し、ここからマイクロソフトは、一気に情報化時代の先端を切り開いていく。

一方、アップルの創始者スティーブ・ジョブズ氏はサンフランシスコの生まれ。サンフランシスコの南五〇キロのパロアルト近郊にアップル社を構えた。その後、アップル社は新興企業のハブとなり、後発のＩＴ企業やベンチャー企業を吸い寄せ、パロアルトからさらに南に延びる西海岸のわずか内陸部に、いわゆるシリコンバレーを形成していく。

今日の米国を支えているのは、西のソフトパワーである。西に集結したＧＡＦＡに代表されるプラットフォーマーと、ディズニーに代表されるコンテンツ創造主が共鳴して、ネット時代の米国経済と世界経済を牽引している。

筆者がサンフランシスコに住んでいた二〇〇三年からの一二年間に目撃したシリコンバレーの浮沈と発展の様子は、米国のフロンティア精神を体現してくれるものであった。

カリフォルニア州サンフランシスコとサンノゼをつなぐ二本のハイウェイ、一〇一と二八〇に挟まれた南北に延びるベルト地帯は、温暖な気候と緑豊かな起伏（山と渓谷）という自然環境に恵まれた理想郷だ。

一九六〇年代後半からインテルなどの半導体企業がここに集まり、シリコンバレーと呼ばれるようになった。一九七〇年代半ばからは、アップルやマイクロソフトをはじめとしたＩＴ企業が入り込んで、ＩＴ産業は隆盛期を迎えるが、二一世紀初頭には、世界経済の減退や九・一一同時多発テロの後遺症もあり、ＩＴバブルの崩壊を迎える。

筆者がサンフランシスコに住み始めたのは、この頃である。ＩＴバブルの崩壊は、シリコンバレーの中心であったスタンフォード大学の街、パロアルトを直撃した。隆盛を極めて拡大した街並みは、たちまち空室の目立つ新築ビルと、閑古鳥が鳴く高級レストランの群れに変貌した。

しかし、死に体に見えたパロアルトの街は、やがて大復活を遂げる。二〇〇七年、アップルによるスマートフォンの発売から始まるインターネット革命を主導したのは、シリコンバレーの企業群であった。その後もシリコンバレーはインターネット革命を主導し、完全復活する。パロアルトの街には再び人口が流入し、ＩＴバブルの隆盛期をはるかに超えた。インターネット時代の今日、シリコンバレーは世界の中心となり、いまも進化を続けている。

シリコンバレーは、いまも昔も「新天地」だ。新大陸の入植者が初めて感じたのと同じ「ときめき」を、この場所で感じた起業家は多いはずだ。

フロンティアの意義は、人間の描く夢や欲望の最先端であることだ。自由の地があることだ。先人がそこに旗を立てる。チャンスを求める若者たちは、どこに行けばいいかを知っている。トム・クルーズ氏とニコール・キッドマンさんが演じた『遥かなる大地へ』を観れば分かる。土地を手に入れるため、競争しながら荒野に向かって疾走する若者が、瑞々しく描かれている。若者たちは、旗を目指すのだ。

フロンティアには抵抗勢力や既得権者がおらず、自由な発想と、失敗を乗り越えて前進するタフさが醸成されている。フロンティアの要諦はフロンティア精神なのだ。

そして、このフロンティア精神と起業家精神は同じものだ。起業家精神は、産業経済の「新天地」に壮大なストーリーを与え、産業経済の実践に血肉を与える。精神がハードの創造を支えている。

日本にもフロンティアを創るべきだ。

✻ディズニーが買った『スター・ウォーズ』の運命

繰り返すが、日本はコンテンツ大国である。世界中に膨大なファンを抱え、その名を轟かせるクリエーターやアーティストを、多数輩出している。しかし問題は、後継者がいないことだ。彼らの知見と手法を引き継ぐ者がいない。彼らが残したコンテンツは拡大再生産されることがない。

黒澤明氏の後継者は日本にいない。黒澤明氏の後継者を標榜しているのは、米国の映画監督、ジョージ・ルーカス氏とスティーブン・スピルバーグ氏である。

そのジョージ・ルーカス氏は、自ら一代で作り上げた「ルーカスフィルム」を、二〇一二年に約四〇億五〇〇〇万ドル（約四四五五億円）でディズニーに売却し、引退した。

ルーカス氏はインタビューに答えて、こう語っている。

「私は、この会社を守ってもらえるように、どこかの大きな組織に委ねたいと、自分が強く思っていると感じた。ディズニーは巨大な企業だ。彼らはあらゆる種類の能力と設備を持っているので、この売却で得られる強みはたくさんある。

……私がこれ（ルーカスフィルムのディズニーへの売却）をやる理由は、その結果、作品の寿命が延び、将来もっと多くのファンたちに楽しんでもらえるからだ。作品は私が生み出した非常に大きな宇宙であり、たくさんの物語がそこにはある……そして、スター・ウォーズの宇宙は引き続き成長していく」（starwars.com、youtube.com）

ルーカス氏のこの期待に応えるかのように、ディズニーによる買収後のルーカスフィルム第一作『スター・ウォーズ／フォースの覚醒』（二〇一五年）は、全世界興行収入が二〇億ドル（約二二〇〇億円）を突破し、『スター・ウォーズ』史上最大、かつ歴代映画のなかでも第四位の興行収入を記録した（二〇一九年八月現在）。

さらに、それまで最低三年は空けて製作されていた『スター・ウォーズ』が、ディズニーによる買収以降、毎年のように製作されている。それらの全世界興行収入は、『ローグ・ワン／スター・ウォーズ・ストーリー』（二〇一六年）が一〇億五六〇〇万ドル（約一一六〇億円）、『スター・ウォーズ／最後のジェダイ』（二〇一七年）が一三億三二〇〇万ドル（約一四六五億円）、『スター・ウォーズ／スカイウォーカーの夜明け』（二〇一九年）が一〇億七三〇〇万ドル（約一一八〇億円）、いずれも一〇億ドルを超え、ルーカス時代の『スタ

**ルーカスフィルム『スター・ウォーズ』の
全世界興行収入（ディズニー以降）**

タイトル	公開年	全世界興行収入（100万ドル）
スター・ウォーズ／フォースの覚醒	2015	2,068
ローグ・ワン／スター・ウォーズ・ストーリー	2016	1,056
スター・ウォーズ／最後のジェダイ	2017	1,332
スター・ウォーズ／スカイウォーカーの夜明け	2019	1,073
合計		5,529（約6,000億円）

出所：興行収入は「インターネット・ムービー・データベース（IMDb）」から

ー・ウォーズ』の興行実績を大きく上回った。

一方、日本では、巨匠と呼ばれる監督や作家の作品は、遺族であるファミリーと、一部の弟子に相続されるケースがほとんどである。黒澤明氏しかり、手塚治虫氏しかり、藤子・F・不二雄氏しかり……である。

遺産として偉大なコンテンツを引き継いだ後継者は、当然のこととして、引き継いだ資産（作品）を守ろうとする。父や母や夫や先生であった、いまは亡き巨匠に想いを馳せ、死者の想いを忖度し、継承した作品を守る。オリジナルの世界観やイメージやテイストを壊さないよう大切に扱う。そして、想像の及ばない再利用はしない。リスクも取らない。作品を元のまま守ろうとするからだ。

したがって、残された作品の経済価値はよくて現状維持であるが、実際には時間の経過による作品の減価は避けられない。作品にも賞味期限がある。守るだけでは『スター・ウォーズ』のごとく、原作者が去ったあとで、原作者の時代にも増してコンテンツとしての価値が拡大再生産されるということは、起こりようがない。

日本では継承者の使命（ミッション）は、作品の「保全」であって「運用」ではない。いかに資産を守り、いかに減価を最小限にとどめるか、それが最優先課題となる。よもや一か八かで作品に修正を加え、一〇〇の価値を二〇〇や三〇〇、あわよくば一〇〇〇にもしてやろう、などと考える後継者は現れない。

要は、日本では、コンテンツが、その成功体験を含めた「ビジネスツール」として継承されるということはなく、「遺産」として相続されることがほとんどなのだ。

✳創ることが得意な日本にはない継承モデル

ディズニーは、ルーカスフィルム以外にも、二〇〇六年にはピクサーを七四億ドル（約八一四〇億円）で、二〇〇九年にはマーベルを四〇億ドル（約四四〇〇億円）で買収している。買収後のピクサーは、『トイ・ストーリー3』をはじめとして一〇本以上の劇場用長編アニメを制作し、その興行収入は全世界累計で九七億ドル（約一兆六〇〇億円）を超えている。

マーベルも、売却後、ディズニー配給で一〇本以上の劇場用映画を製作し、『アベンジャーズ』シリーズの大ヒットを含め、興行収入は全世界累計で一五八億九〇〇〇万ドル（約一兆七五〇〇億円）にも及ぶ。

これらは、いずれも興行収入（劇場のチケット売上）だけの数字で、二次利用などは含まれていない。二次利用まで含めたら、とんでもない数字になるだろう。

ピクサーもマーベルもルーカスフィルムも、コンテンンツ制作会社としては、いずれも超一流のブランドである。いずれも、もとより稼ぐ力のある会社だ。勢いが落ちていたわけでもない。

それでも、ディズニーに将来を委ねた。そして、その後の「ビジネス」の圧倒的な展開には驚くばかりだ。

もちろん、このようなコンテンツの運用は、ディズニーだからこそ為せる業ではある。しかし同時に、そこには、米国ならではのシステムとしての事業継承の成功モデルがある。そして日本には、残念ながら、ディズニーも、継承モデルもない。創ることは得意なのだが、溜めて広げて運用していくことが苦手なのである。

ピクサー劇場用アニメーション全世界興行収入
（ディズニー以降）

タイトル	公開年	全世界興行収入（100万ドル）
ウォーリー	2008	521
カールじいさんの空飛ぶ家	2009	731
トイ・ストーリー3	2010	1,063
カーズ2	2011	560
メリダとおそろしの森	2012	539
モンスターズ・ユニバーシティ	2013	744
インサイド・ヘッド	2015	857
アーロと少年	2015	314
ファインディング・ドリー	2016	916
カーズ／クロスロード	2017	383
リメンバー・ミー	2017	758
インクレディブル・ファミリー	2018	1,242
トイ・ストーリー4	2019	1,073
合計		9,701（約1兆600億円）

出所：興行収入は「インターネット・ムービー・データベース（IMDb）」から

マーベル劇場用映画全世界興行収入（ディズニー以降）

タイトル	公開年	全世界興行収入（100万ドル）
アベンジャーズ	2012	1,519
アイアンマン3	2013	1,215
マイティ・ソー／ダーク・ワールド	2013	449
キャプテン・アメリカ／ウィンター・ソルジャー	2014	714
ガーディアンズ・オブ・ギャラクシー	2014	333
アベンジャーズ／エイジ・オブ・ウルトロン	2015	1,405
アントマン	2015	519
シビル・ウォー／キャプテン・アメリカ	2016	1,153
ドクター・ストレンジ	2016	678
ガーディアンズ・オブ・ギャラクシー：リミックス	2017	864
マイティ・ソー バトルロイヤル	2017	854
ブラックパンサー	2018	1,346
アベンジャーズ／インフィニティー・ウォー	2018	2,048
アベンジャーズ／エンドゲーム	2019	2,794
合計		15,891（約1兆7,500億円）

出所：興行収入は「インターネット・ムービー・データベース（IMDb）」から

❋ハリウッドの事業継承モデルとは

ハリウッドは、システムで動く、巨大なマシーンだ。

米国のシステムが最善とは思わないが、長い目で見ると、システムを持っているものは残り、持たないものは消えていく。システムの効用は、分野を問わず、参加者の数、サンプルの数を増やし、選別を経て、より高度な最適解を導き出すことだ。

クリエイティブな部分においては職人的な要素が強いので、師弟関係などを通じた個人技で技能や手法の継承が行われることは、むしろ自然である。しかし、クリエイティブのアウトプットである作品をプロモートしたり二次利用したり、拡大再生産して経済価値を極大化しようと図るなら、それはビジネスの領域である。

経験の蓄積や人材の育成、作品の企画・制作・販売・利用に至るプロセスの運用、各プロセスに関わる人的リソースの更新も含めて、これらはビジネスのシステムとして構築していくべきものだ。システム化しないと、土台を大きくして底面積を広げ、より高い頂点を持ったピラミッドを築き上げていくことができない。

何よりも、原作者の一片のアイデアから始まって、ついには巨大なコンテンツになっていくという成功のプロセスは、単なる技法とか手法などということではなく、ひとつのシステムのはずだ。そうでなければ、ルーカスフィルムもピクサーも、あるいはスタジオジブリも、ヒット作を出し続けることができるわけがない。彼らは、作品を成功に導く方法を知っている。チームがそれを共有して、次世代に伝えているのだ。

——ハリウッドは、ラスベガスや大リーグや大統領選と同じく、巨大なシステムである。米国の映画産業界には、俳優、脚本家、監督、カメラマンなどを育てる大学のコースや、アクターズスタジオのような養成所、サンダンスのような各種映画祭などがある。これらが若手の製作者の教育や発表の場となって、新たに業界を目指す人たちをサポートしている。常に次世代が再生産され、産業の裾野を広げていくメカニズムを持っている。

時代と環境が変わり、システムが陳腐化もしくは硬直化してきたら、これを壊し、新しいシステムを再構築すればいい。スピルバーグ氏やルーカス氏はシステムのなかから出てきて（二人ともフィルムスクール〈映画学校〉出身だ）、既存のスタジオとは違う独自のシステムを創り上げた。そして、ルーカス氏は自ら創り上げたシステムのさらなる高次元化に限界を感じ、ディズニーという巨大なシステムに、自分の作品と、共に戦ってきた才能豊かな仲間を託した。

システムの強みは、システムのなかにある要素を関連づけてつなぎ合わせ、変化する環境や人的事情に適応する解を与えることである。

コンテンツはソフトの「財」である。工場生産の製品ように「規格」通りの結果を創り出すことはできない。しかし、制作のプロセスをシステム化すれば、ソフトであっても「財」として、クオリティと一貫性を担保することは可能だ。

コンテンツの価値は、こうして継承していくことも、さらに拡大再生産することも、可能なのである。

米国がコンテンツ大国である理由は、ソフトパワーもさることながら、コンテンツの継承モデルにも見ることができる。拡大再生産がなければ、コンテンツで大国化する道理はない。

❋コンテンツ「拡大再生産」の米国

米国の底力は、システムによる拡大再生産である。

「歴史」はストーリーとキャラクター（登場人物）でできている、それ自体が強力なコンテンツである。米国は、欧州の主要国や、中国、日本と比べれば、その歴史は極端に短い。日本がコンテンツの宝庫である理由のひとつは「長い歴史」にある。米国は「短い歴史」という不利な条件にもかかわらず、コンテンツ・ビジネスにおいて、世界を席巻している。それは、いままさにコンテンツを生み出しているからであり、生み出したコンテンツを運用し拡大再生産することに長けているからだ。

コンテンツの創造から再生産までの一連のプロセスが「システム」として成立している。システムが自律的に稼働して、ビジネスを循環させ、増幅させている。

歴史は時間の流れのなかにある。過去の歴史（遺産）もあれば、これから作られる歴史（創造）もある。音楽を例に取れば、二〇〇年の時を超え定番として今日演奏されるオペラもあれば、新作として明日初演を迎えるミュージカルもある。コンテンツは、過去と未来に延びる時間軸の上に刻まれている。

歴史の浅い米国には定番オペラはない。しかし、ブロードウェイでは新作ミュージカルが、そしてハリウッドでは世界市場をターゲットにした新作映画が、日々生まれている。いずれ「大いなる遺産」となる新しいコンテンツが、次々に誕生しているのだ。その背景には、米国が独自に築き上げた、創造と拡大再生産を可能にするシステムが存在している。「ブロードウェイ・システム」や「ハリウッド・システム」とでも名付けられるものだ。

なぜ米国で、そのようなシステムができ上がっていったかというと、歴史が浅い分だけコンテンツが、芸術よりもビジネスに近いところで多く創られたからだ、と考えられる。

歴史的な建築や彫刻、あるいは絵画や音楽は、今日ではアートと呼ばれ、あまりコマーシャル的（商業的）な臭いを感じさせない。が、比較的歴史の浅い映画やミュージカルとなると、そもそも観客ありきの創造物なので、当然のようにコマーシャル的な要素が入り込んでくる。

米国のコンテンツ業界を見ると、比較的歴史の浅い映画やミュージカルに思い切ってリソースを投入していることが分かる。米国は、他国に比べるとビジネス的な合理主義で物事が進むので、ブロードウェイとハリウッドは弁護士だらけの世界だと揶揄（やゆ）している人も多い。

＊ＮＹへの経済的還元効果は年間約一兆四〇〇〇億円

世界のミュージカルの頂点であるブロードウェイ。そこは華やかなショーが繰り広げられるアートな街である。と同時に、コンテンツ（作品）をリスクコントロールしながら、ロングランという成功パターンに持ち込むためのビジネスモデルを確立し、そのシステムを提供しているビジネスの街でもある。

ブロードウェイの他にも、米国のラスベガスや英国のウエストエンドも世界に名が知られた「劇場街」である（日本に、そういう場所がないのは残念だ）。

旅行客がこれらの地を訪れる主たる目的は観劇。ここに行けば、話題の舞台作品を観ることができる。前売り券を買ってから行ってもいいし、ふらっと訪ね、空席があれば当日券で入場してもいい。界隈（かいわい）をそぞろ歩きしていれば、自分の好みの演目に出会うチャンスは大きい。多くの劇場が集中していて、あらゆる種類のライブ・エンターテインメントが常時、上演されている。

　ブロードウェイには、座席数五〇〇以上の「オンブロードウェイ」の劇場が約四〇、座席数四九九以下の「オフブロードウェイ」と「オフ・オフ」（コメディーハウスなど含む）が一〇〇ほどある。

　劇場や興行が集中しているということは、観客にとってのチョイスだけでなく、パフォーマーにとっての「チャンス」が大きいということでもある。そこにはキャリアとチャンスを求め、大勢の若者が集まってくる。その若手を鍛える教師や指導者やスクール、そして才能を探し求めるエージェントやプロデューサーも、ここに集まってくる。ここに来れば、たとえオーディションに落ちても、第一の目的（出会い）を果たせる可能性があるということだ。

　この街には、公演情報とオーディション情報があふれている。毎日どこかでオーディションが行われている。街のホテルやレストランのなかには、従業員がオーディション優先の出勤スケジュールを組むことができるようにしているところもある。街を挙げてパフォーマーをサポートしているのだ。

　では、ミュージカルの経済効果はどうか？　北米の商業劇場業界団体「The Broadway

League（ブロードウェイ・リーグ）」は、ニューヨーク、ブロードウェイ全体（オン、オフ、オフ・オフ）の経済効果の概要を、以下のように報じている（二〇一八〜二〇一九年の一年間のシーズン）。

① 年間興行収入：一八億三〇〇〇万ドル（約二〇〇〇億円）
② 入場者数：一四八〇万人（地元客三五％、米国人観光客四六％、外国人観光客一九％）
③ ニューヨーク市への経済的還元効果：一二六億ドル（約一兆四〇〇〇億円）
④ 雇用創出効果：のべ八万七一〇〇人（舞台設備製作から観光客の関連支出などすべてを含む）

ブロードウェイでは、エンターテインメントが一大ビジネスとして成立している。才能と産業の拡大再生産システムが、フル稼働している。

❋マーベル――世界を席巻するアメコミ・パワー

マーベルは、一九三九年創業のアメリカン・コミック（通称「アメコミ」）の出版社である。『スパイダーマン』や『アベンジャーズ』など、数多くのスーパーヒーローもののヒッ

『スパイダーマン』と『アベンジャーズ』のアメコミの表紙（Marvel Comics）

ト作を有し、日本でも再編集版が出版されている。

　アメコミは、もともと、一作品一話から数話ごとに出版される薄手のペーパーバックの雑誌である。日本のマンガ雑誌のように、複数のマンガ家の作品が掲載されることはない。

　マーベルは、一九九〇年代には、アメコミ不振から会社更生法の適用、そして更生会社からの脱却など浮沈を繰り返し、一時は日本の出版社への身売りが噂（うわさ）になった。もとよりコアファン向けのアメコミ出版社であって、事業規模は小さく、一国経済という観点からの注目を浴びるような存在ではなかった。

　ところが二〇〇〇年代に入り、マーベルの人気キャラクター作品『X-MEN』が実写映画化されて大ヒットすると、これを機に『スパイダーマン』をはじめとする自社保有のキャラクターを次々に映画化し、大成功を収める。

そして二〇〇九年、ディズニーに四〇億ドル（約四四〇〇億円）で買収され、以後、ハリウッド映画での大躍進が続く。いまや世界規模の経済的インパクトを持つ巨大なコンテンツ会社に変貌した。

アメリカのコミックやアニメーションのＩＰ（インテレクチュアル・プロパティー：知的財産）、つまり商材であるコンテンツが、パワーシステムを構築していく過程を、まさにマーベルに見ることができる。

＊アメコミのキャラクターが不老不死である背景

そもそも、アメコミのコンテンツとしての強さ、特徴は、次のようなことだ。

① キャラクターは品行方正で不老不死：コミックやアニメのキャラクターは、もちろん不老不死であり、品行方正である。麻薬や暴力などの違法行為や、セクハラ・パワハラなど不適切行為をすることはない。

② 経済的価値が減価しない：著作物という概念で、無形の知的財産であるが、会計的に認

識されることは、ほぼない。実際に経済的価値を有するが、会計的に認識されないので、減価もしない。貨幣製造機のような商材である。ブランドやキャラクターの「開発費」は繰延資産として計上され、償却される。しかし、アメコミのキャラクターのほとんどは、開発費はかかっていないか、かかっていたとしても償却済みである。

③　ハリウッド映画にぴったりのアメコミ：アメコミのヒーローものは、ハリウッド映画との親和性が高い。映画になじむということである。安心して観ることができる勧善懲悪的なストーリー、誰でも知っているメインキャラクター、個性豊かな敵役やその他のキャラクター、派手なアクション。３Ｄや４Ｄでの映像・音響映え。まさにハリウッド映画にストレートになじむコンテンツである。

④　出版社が著作権を持っている：①〜③の特徴は、米国だけでなく、日本のマンガやアニメについてもいえることではあるが、ここから先は話が変わってくる。アメリカの場合、コミックの著作権（キャラクターやストーリー）を出版社が所有していることがほとんどなので、作家の死亡や個人的事情によって著作権が移転することはない。出版社は、時代や環境の変化に応じて、キャラクターの造形を変えることが可能である。時代や環境に合わせてキャラクターとストーリーを改変し、ビジネス的な最適化を図ることができる。ビジネス判断で、リニューアルやリメイク、スピンオフやクロスオーバーが可能なのだ。

実は、出版社が著作権を持っていることが、「キャラクターが不老不死である」ことを可能にしている。

キャラクターは死なないが、原作者は人間であるから、やがてこの世を去る。著作権が個人に帰属していると、その個人の死亡とともに著作権の移転が起こり、相続トラブルで権利が雲散霧消したり、相続人の意向などで権利が凍結されたりする。そうでないとしても、困ったことに、原作に誰も手を入れられなくなる。

原作を修正したり改変を加えたりすることができるのは本来、原作者だけなのだが、その原作者がいないので、修正も改変もできなくなってしまう。個人の相続人は、滅多に原作をいじることはしない。結局、時代の変化に対応した改変をすることが難しくなってしまう。絵のイメージや設定などは、時間の経過で、どうしても古く感じられてしまうようになる。

ところが、著作権を出版社である法人が持っていれば、ゴーイングコンサーン（会社が事業を継続していくという前提）である法人のもとで、キャラクターは自由に動ける状態となる。まさに不老不死になるわけだ。

いってみれば、キャラクターにクオリティライフが与えられ、永遠の命が与えられるのである。二〇一八年、『スパイダーマン』のオリジナルの原作者であり、アメコミ界のレジェンドであるスタン・リー氏が亡くなったが、『スパイダーマン』は、アニメも実写も、まったくその死の影響を受けることなく、変わらぬ活躍と「成長」を続けている。

コンテンツのなかで、人気のキャラクターには次々にストーリーが増産され、シリーズ化される。シリーズが進めば、観客のあいだにも満腹感が出てくる。コンテンツとしての賞味期限がやってくるわけだ。そこで、『バットマン』が『ダークナイト』でリブートしたように、シリーズの世界観を思い切って変更し、コンテンツとしての仕切り直しを図るのだ。

キャラクターの経済的価値は減価しないが、一方で、その運用によって価値を増幅することが可能だ。そのためには、キャラクターとストーリーをどのくらい「いじれるか」という自由度が問題になってくる。

＊マーベル・ヒーローものの興行収入は四兆円

先述の通りアメコミにも、マンガと同じように、キャラクター（登場人物など）の出自など人物設定にはストーリーがある。シリーズ化、あるいはスピンオフ化されても、キャラクター自身の属性は変わらず共通している。

しかしアメコミのシリーズでは、同じ作家がずっと描いているわけではない。キャラクターは引き継がれ、活躍し続け、成長もしていくが、作家は随時入れ替わり、ストーリーとイメージ（絵）も頻繁に変わる。

マンガは、個人の作家の創造物であり、権利もすべて作家に帰属するが、アメコミはチームでキャラクターを動かし、権利は会社に帰属する。だから、アメコミには作家名などはめったに出てこない。『スパイダーマン』のスタン・リー氏は作家として有名だが、クレジット（名前を表記）されることはむしろ珍しい。

一方の日本では、『鉄腕アトム』といえば手塚治虫氏、『ドラゴンボール』といえば鳥山明氏である。他の作家が描いてクレジットされている『ドラゴンボール』など存在しない。権利者が違うから、クロスオーバーのように、他作品からキャラクターを引っ張ってきて競演させることなど、日本ではあり得えない。

すでに本書のなかでも何度か取り上げているが、マーベルのアメコミ・コンテンツの経済効果は尋常ではない。

実写版ハリウッド映画の興行だけでも、二〇〇〇年の『X-MEN』以降、二〇一九年の『スパイダーマン：ファー・フロム・ホーム』に至るまでに、マーベル・ヒーローものの製作本数は五六本（平均年二・八本）に及び、その全世界興行収入の累計は、なんと三六六億ドル（約四兆円）である。映画一本ごとに六・五億ドル（約七一五億円）の興行売上を稼いでいる計算だ。

経済効果は興行収入にとどまらない。キャラクターによっては、その「商品化」は、映画の興行よりもビッグビジネスである。

❋米国でエリートが映画を創る道筋

米国の映画産業という巨大なシステムは、ハリウッドの映画スタジオを頂点に、関連するメディア、スタッフ・キャストの組合（ギルド）、大学の映画学科、フィルムスクール、アクターズスクールなどが重層化したピラミッドを構成している。

ハリウッドを代表するジョージ・ルーカス氏とスティーブン・スピルバーグ氏という二人の映画監督は、一九六〇年代にそれぞれ大学の映画学科で学び、このシステムのなかで才能を磨いていった。ルーカス氏は南カリフォルニア大学（ＵＳＣ）映画学科を卒業、スピルバーグ氏はカリフォルニア州立大学ロングビーチ校芸術学部映画学科を中退している。

米国の多くの大学にはフィルムスクール（映画学校）がある。専門学校もあるが、大学に併設のスクールもたくさんある。ルーカス氏の出た南カリフォルニア大学のフィルムスクールは、米国内でもトップランクである。他にも、カリフォルニア大学ロサンゼルス校（ＵＣＬＡ）、米国映画研究所（ＡＦＩ）、ニューヨーク大学（ＮＹＵ）、コロンビア大学などのフィルムスクールが有名だ。

コロンビア大学といえば、バラク・オバマ前大統領や、古くは両ルーズベルト大統領をはじめ、大勢の政治家、また湯川秀樹(ゆかわひでき)を含む一〇〇人を超えるノーベル賞受賞者を輩出している。が、実は、アカデミー賞受賞者を二八人も輩出している。

米国の一流大学にこれだけのフィルムスクールがあり、映画人材を輩出している様子は、いわゆる名門大学が多くの起業家を輩出している構図と似ている。

余談になるが、ビル・ゲイツ氏（マイクロソフト創業者）とマーク・ザッカーバーグ氏（フェイスブック創業者）はハーバード大学出身、ジェフ・ベゾス氏（アマゾン創業者）はプリンストン大学出身、リード・ヘイスティング氏（ネットフリックス創業者）とラリー・ペイジ氏とセルゲイ・ブリン氏（グーグル創業者）はスタンフォード大学出身である。日本では起業家というと苦労してのし上がってくるイメージだが、アメリカではほとんどがエリートなのである。

良くも悪くも、研究機関や大学が、産業界や国家レベルでの課題や戦略とつながっていて、問題解決システムの一部として機能している。

そのため米国で将来、映画の仕事に就きたいと思ったら、まずはフィルムスクールを目指せば良いということになる。そうすれば、システムに参加したことになる。

ところが日本では、高校生が将来、映画を創りたいと思っても、どこに行ったらいいのか分からない。映画業界での就職を志望する者が得られる選択肢は少ないし、あってもメジャー感はない。旗が立っていないし、地図もない。日本の映画産業は、人材育成という意味では、システムの要件を備えていない。

ところで、ルーカス氏もスピルバーグ氏も、いくつかの作品の成功後に、ともに映画会社を立ち上げる。メジャーを否定したわけではない。メジャーでは持続的に確保することが難しい「自由な創作環境」を確保するためだ。

二人は、ハリウッドというシステムのなかで育ち、このシステムのなかでデビューし、成功を収めた。そして、システムの限界を感じ、自ら新しいシステムを創った。結果、彼らの創ったシステムは、ハリウッドのなかにサブシステムとして定着し、全体のシステムを時代に合わせて更新している。

ルーカス氏は、自分が生み出したストーリーとキャラクターで、『スター・ウォーズ』という巨大な世界を構築した。ルーカスフィルムに集まった人たちは、『スター・ウォーズ』に集まった人たちなのだ。

他章で論じたように、ルーカス氏は、そのルーカスフィルムを二〇一二年、四〇億五〇〇〇万ドルでディズニーに売却した。こうしてディズニーの傘下に入ったルーカスフィルムは、新たな拡大を始めている。いまでは、ケーブルテレビ局ＨＢＯ制作の大ヒットドラマ

『ゲーム・オブ・スローンズ』のクリエーターが、『スター・ウォーズ』の新作を書いている。宮部（みやべ）みゆきさんが、東野圭吾（ひがしのけいご）氏の『ガリレオ』シリーズの最新作を書いているようなものだ。

目的がクリアであれば、目的に向けた必要な要素の組み合わせは自在だ。システムの凄さを見る思いがする。

❋ディズニーに身売りして大化けしたピクサー

ピクサーの前身はルーカスフィルムだ。

一九七九年、ジョージ・ルーカス氏がニューヨーク工科大学からエド・キャットマル氏を採用し、ルーカスフィルムのなかに創立したコンピューター・グラフィックス（CG）部門が、その前身である。一九八六年、アップルを追われたスティーブ・ジョブズ氏が一〇〇〇万ドル（約一一億円）で買収し、ピクサーと名付けた。

当初のピクサーはハードウェアの製造会社で、顧客には政府機関などが多く、そのなかにディズニーもあった。ピクサーが自社製造のコンピューターの性能をアピールするため、デモンストレーション用に短編アニメーションを創ったのが、アニメーション制作の始まりである。

その後、コンピューターとソフトウェアが伸び悩んだため、自社のデモンストレーション用に創っていたCGアニメーションを、他社向けにも提供するようになった。CGアニメーションによるコマーシャルの制作である。

こうしたなかで、ピクサーの制作するアニメーションが、短編アニメーション部門でアカデミー賞を受賞した。このようにして磨きのかかったピクサーのアニメーション部隊が、以前から密接な取引関係にあったディズニーと共同制作をすることになったのだ。

伝説の長編アニメーション『トイ・ストーリー』の誕生である。

ピクサーは、その後も数々のヒットアニメーションを制作し、大躍進の最中、二〇〇六年に七四億ドル（約八一四〇億円）でディズニーに売却された。スティーブ・ジョブズ氏は、このときディズニー最大の個人株主になった。

ピクサーの前身会社からの創業者で、ピクサー・アニメーション・スタジオとディズニー・アニメーション・スタジオ両社の社長を務めたエド・キャットマル氏は、その著作のなかで、「ピクサーの優位性のひとつは、テクノロジーとアートとビジネスが、リーダーシップと密接に結び付いていることだ」と語っている。

その意味で、ピクサーでは、コンピューター・サイエンティストのエド・キャットマル氏、天才アニメーション・アーティストで制作主幹を務めるジョン・ラセター氏、そしてビジネスの天才スティーブ・ジョブズ氏の三人が、タッグを組んでリーダーシップを取っていた。まさに理想的なマネジメントチームが存在していた。インターネット革命以降のビジネスを動かす成功システムが、ピクサーにはあったということになる。

さらにキャットマル氏は、同書のなかで、「どうしたら会社の成功だけでなく、クリエイティブな組織文化を創造し持続させることができるのか？　創業者がいなくなってもずっと生き続ける組織文化を創る」と述べ、その重要性を強調している。ディズニーへの身売りは、その答えでもあったのだ。

ピクサーは一九九五年の『トイ・ストーリー』発表から二〇〇六年のディズニーによる買収までの約一〇年間、アニメーション作品を六本しか創っていない。しかしディズニー売却後のピクサーは、そこから一二年間で、一気に一四作品まで制作本数を引き上げた。その結果、興行収入は累計で九五億ドル（約一兆円）を優に超えた。

従業員が安心して創作を続けられる盤石（ばんじゃく）の体制を用意したのである。

キャットマル氏は、ディズニーへの身売り後、結局、請われてピクサー・アニメーション・スタジオの社長だけでなく、ディズニー・アニメーション・スタジオの社長も引き受けた。ジョン・ラセター氏もキャットマル氏と行動をともにし、二人はピクサーと併せて、ディズニー・アニメーション・スタジオを率いることになった（ジョン・ラセター氏は、二〇一八年末でディズニーを去り、新興アニメーション会社に転じている)。

しばらく低迷を続けていたディズニー。アニメーションはこれを機に復活して、ついに世界的大ヒットアニメーション『アナと雪の女王』(二〇一三年)を世に送り出した。

＊歴史は最強のコンテンツ――イタリア

イタリアに行くたびに思う。この国は過去の遺産で食っている、と。

ローマの遺跡であるフォロ・ロマーノ(古代ローマ中心部)は紀元前八世紀頃から、コロッセウムは西暦七〇年頃から、その建築が始まった。古代都市ローマは二〇〇〇年以上前に全盛期を迎えたわけだが、今日でも、当時の遺跡が、ローマの観光資源(コンテンツ)として、市の経済を支えている。

フィレンツェは、一五世紀、ルネッサンスの時代に最盛期を迎えた街だ。フィレンツェは、五〇〇年前の遺産で食っていることになる。

ローマとフィレンツェだけではない。ベネチアもベローナもボローニャも、もちろん新しい観光資源もあるのだが、主な稼ぎの源泉は、はるか昔の建造物である。

これらの都市にある建造物は、文化遺産であり、世界遺産も多い。イタリアは観光資源というコンテンツを豊富に持ち、膨大な観光収入を得ている。

イタリアに限らず、世界には、外国からの観光客が大挙して訪れる国や都市がたくさんある。外国人観光客の訪問者数ランキングでは、パリは常にトップランク入り。ニューヨークや東京も常に上位にランク入りしている。

観光において、観光客を惹きつけるマグネットのような役割をするものは、有形無形を問わない。建築や都市構造は有形で、その造形がユニークであれば人を惹きつける。

さらに、その建物や都市構造の歴史をたどれば、そこには必ず魅力的なストーリーがある。観光や研究などの目的で訪れる人々にとって、建物や街並みは、歴史（ストーリー）を背負った立派なコンテンツなのである。

しかも人類が、歴史をたどってみたいと思い、歴史から学び続ける生き物である限り、歴史的遺産とは、訪問客が枯渇することのない強力なコンテンツである。

イタリアには、街と建物だけではなく、過去の遺産として残った絵画・彫刻などの美術品があふれている。さらにイタリアは、デザイン、ファッション、食など、ソフト経済においても圧倒的な競争力を持つ。職人の国、ブランドの超大国である。

日本もイタリア同様、長い歴史に彩られた観光資源の豊富な、リッチなコンテンツを持つ国だ。京都や奈良をはじめ地方にも、神社仏閣を筆頭に、無数の歴史的遺産が残っている。その一方で、東京や大阪には、日本ならではのポップなコンテンツがあふれている。

日本はコンテンツ大国なのである。

✳三世紀をまたぐサグラダ・ファミリア――スペイン

先述のイタリア同様、スペインにも歴史的なコンテンツが多い。

たとえばバルセロナに建築中のカトリック教会「サグラダ・ファミリア」。カタルーニャの建築家アントニ・ガウディ（一八五二～一九二六年）の設計による未完の巨大建築である。一八八〇年代の着工からすでに三世紀をまたぐ、現在も建築中の遠大な建築プロジェクトである。

ファサードの完成部分は、ガウディの作品群の一部として、すでに世界遺産に登録されている。そして年間観光客は三二〇万人（二〇一七年）に達する。バルセロナは、マドリードを抜いて、スペイン最大の観光都市となっているのだ。

建築期間は、当初の計画で三〇〇年はかかるとされており、すでに一三〇年を超えている。しかし、一九九〇年代以降の、観光収入増大による資金繰りの好転と、テクノロジーの進歩による建築技術の飛躍的向上で、工期は半減し、二〇二六年に完成するという。

一九二六年にガウディ没、一九三六年にスペイン内戦勃発、第二次世界大戦を中立国として乗り越えたフランシスコ・フランコの長期軍事政権、フランコ後の民主化、バスク祖国と自由（ETA）の過激派活動、カタルーニャの独立運動……ガウディ没後のスペインとカタルーニャの歴史が揺れ動くなか、サグラダ・ファミリアの建築だけは力強く着々と進んだ。サグラダ・ファミリアは、一国のなかで、民族、宗教、イデオロギーなどが異なる集団のバランスを取りながら、ユニークな「ファミリア（家族）」を形成している。スペインという国の、壮大なストーリーの象徴である。サグラダ・ファミリアは、まさしく、スペインが誇る一大コンテンツなのだ。

有名な話がある。

建築中のサグラダ・ファミリアを取材に行ったジャーナリストが、建築現場で忙しく働く人たちにインタビューを始めた。ヘルメットを被った現場監督、水平器で何かを測っている測量技師、壁の石材に文様や動物を刻んでいる彫刻師、と次々にインタビューを進めていくなか、ホウキを持って現場で忙しく掃除をしている年配の女性が目に留まった。その女性に、「あなたは、この現場で、何をやっているのですか？」と問いかけた。間を置かず女性から言葉が返ってきた。

「私は、ここで、教会を造っているのよ」

サグラダ・ファミリアは、まさに遠大なストーリーを抱え、ほかで見ることができないユニークな造形（キャラクター）を創り出している。

サグラダ・ファミリアが、スペインを、カタルーニャを代表するコンテンツであることに異を唱える人はいないだろう。そして、彼(か)の地の人たちが大切に創り上げてきたこのコンテンツは、将来にわたる膨大な観光収入を約束している。

❋フランスの代表的な工業製品は？

フランスもまたソフトパワー、コンテンツの国である。

「フランスの代表的な工業製品は何？」と聞かれて、二つ三つ即答できる人は意外に少ない。フランスといえば、芸術、ファッション、料理・食材といったソフトはすぐに思い浮かぶが、工業製品ということになると、すぐには出てこない。よくよく考えれば、ルノー（車）やエアバス（航空機）などもあるのだが、フランスは農業と文化の国というイメージが強いし、またそのイメージ通りでもある。

フランスは大国である。歴史的に大国であるし、世界に与えている影響という意味で、いまも大国である。

たとえば、なぜＩＯＣ（国際オリンピック委員会）の第一公用語はフランス語なのだろう？　オリンピック開会式の入場行進のアナウンスメントも、プラカードの表記も、フランス語、英語、開催国語という順番だ。

二〇一三年、東京オリンピック・パラリンピック招致の最終プレゼンテーションが、アルゼンチンのブエノスアイレスのＩＯＣ総会で行われた。高円宮妃久子さまと滝川クリステルさんがフランス語でプレゼンテーションをしたことは記憶に新しい。フランス語でスピーチをしたことに対し、もちろん称賛の声が上がったのだが、なぜフランス語だったのか、特に疑問を呈した人はいない。

さて、なぜなのか？「近代オリンピックの父」と呼ばれるピエール・ド・クーベルタン男爵がフランス人であった、というのが答えである。「参加することに意義がある」「より速く、より高く、より強く」などは、彼がフランス語で遺した言葉だ。

もともと古代オリンピックの発祥地はギリシャである。オリンピックの聖火リレーはギリシャから始まるし、開会式の入場行進も、ギリシャからスタートする。

しかし、近代オリンピックの開祖は、フランス人なのである。近代オリンピックの開催地は、初回がアテネ（一八九六年）、第二回がパリ（一九〇〇年）である。

スポーツやイベントも含めた広義のコンテンツとして、オリンピックは世界最大級のコンテンツである。こうしたソフト分野で、フランスは常にいい位置を占めている。

また、経済協力開発機構（ＯＥＣＤ）や国際連合教育科学文化機関（ＵＮＥＳＣＯ）などの国際機関の本部も、フランスにある。

フランスは欧州の大陸側の中心に位置し、常に西洋史の中心であった。大陸側の欧州諸国は相互に国境を接し、西洋史は領土の拡大縮小の歴史でもあった。そんななかでフランスは、近隣諸国に比べると、地勢学的にも領土の安定を保ってきた。フランスは、国際機関の拠点候補地としては、優位な条件を備えていたのだ。

国体が揺らがないことが長期の繁栄には不可欠だが、フランスは欧州にあってそれを実践できた国なのである。歴史的に、国際舞台でのフランスのプレゼンスは常に際立っていた。

❋フランス語こそ最強のコンテンツ

フランスの安定を支えてきたものは、フランス語である。フランスにとってフランス語は、歴史を通じて揺らぐことのない最強のコンテンツだ。

欧州では、過去にフランス語が最も普及し、外交言語として使われた時代があった。特に上流階級は、フランス語を話すことが教養として不可欠だった。

ソフト（無形）のプロパティ（資産や特質）が、コンテンツ化する（価値が単位化されて商業的に流通しやすくなる）と、価値の増殖や拡大再生産が可能になる。

フランスは、言語が強力なコンテンツであることにいち早く気づいた。そして、フランス語を国外に流通させる、浸透させることが、巡り巡って国益に適（かな）うと考え、それを植民地以外でも実践した国である。

統治者言語の強制は、植民地政策としては、最優先の課題だ。香港の英語、台湾の日本語、ベトナムのフランス語など、枚挙にいとまがない。しかし植民地政策としてではなく、自国語の国外での普及が長い目で見ると国益に資するとして、言語を積極的に国外に売りに行っている国は、フランスだけだ。いまもそれは変わらない。

たとえばフランス政府は、海外のフランス人学校（フレンチスクール）にも助成を行い、現地人の子女も受け入れている。授業料も、アメリカンスクールよりはるかに安い。

日本にも、東京・北区に、東京国際フランス学園というフランス人学校がある。この学校は在日のフランス人子女の教育のために創設された、幼稚園から高校まで一貫の公的教育機関である。現在はフランス政府の所有で、一九九〇年に創設されたフランス在外教育庁（AEFE）の直轄だ。授業料は、インターナショナルスクールより四割方安い。

東京国際フランス学園のホームページによれば、このAEFEのミッションは、一義的には在外フランス人子女のための公的教育の実施だが、フランス語およびフランス文化の普及、フランスと外国の教育システムの関係強化なども含んでいる。フランス国籍の子弟だけではなく、日本国籍、その他の国籍の子弟も受け入れている。

AEFEは二〇一八年現在、一三五ヵ国に四九四のフランス人学校を有し、三歳児から高校生まで三三万人が通っている。この三三万人は、将来、なんらかの形でフランスと海外をつなぐ仕事に就く可能性が高い。そのことが長期的にフランスという国の国益に資することは疑うべくもない。

翻（ひるがえ）って、海外の日本人学校として文部科学省が認定した在外教育施設は、二〇一九年一一月現在、五一ヵ国・地域に一〇二施設あるが、すべて私立で、中等教育までがほとんどである。

日本で、インターナショナルスクールやアメリカンスクール、フレンチスクールに子供を通わせている日本人家庭は多い。実際、人気である。一方、外国で日本人学校に子供を通わせる現地人の親はほぼいない。

将来に向かって日本が好きな人を増やすためには、日本に触れてもらうのが一番手っ取り早い。そのことはマンガとアニメで証明されている。さらに、日本語を話し、日本の文化を理解している外国人がもっと大勢いたら、必ずや日本に付加価値を持ち込んでくれるはずだ。

即効性はないかもしれないが、コツコツやれば、一〇年後には結果が出てくる。制度設計がどうこうといっていないで、早く行動を起こさなければいけない。放っておけば、ここも中国と韓国に持っていかれてしまう。実際、アメリカの富裕層では、子供に中国語を習わせている家庭が増えている。

言語は、国家にとっては最強のコンテンツなのである。そしてフランス語は、いまも昔も、フランスにとっては最強のコンテンツなのだ。

❋世界各国言語の国際競争力と影響力

ここで世界各国言語の国際競争力や影響力を比較してみたい。

世界経済フォーラムが二〇一六年に「言語の国際影響力ランキング（Most Powerful Languages in the world）」を発表している。調査は、以下の五項目にわたって、各国語の影響力をインデックス化して行われた。

① 地域的広がり（Geography）
② 経済力（Economy）
③ 言語使用者（Communication）
④ 知識とメディア（Knowledge & Media）
⑤ 外交力（Diplomacy）

総合一〇位までの言語で、人口一億人以下の国では、フランス語とドイツ語の健闘が目立つ。フランス語は総合三位だが、まず注目すべきは、「外交力」である。フランス語の外交力評価はずば抜けており、英語と並び一位。二〇五〇年予測を見ても、外交力評価一位は不動である。

このように、外交の世界において、フランス語に対する評価と、そのプレゼンスは際立っている。

そしてフランスは、国際舞台において、その地位にふさわしく行動する。国際紛争などにおいてフランスが仲裁国として登場するシーンを、我々はよく目にする。外交力での序列は、国の「格」でもある。長い歴史からでき上がった序列は、簡単には入れ替わらない。二〇五〇年の順位予測でも、フランス語の一位は揺るがない。

「地域的広がり」でも二位を譲らない。フランス語を使っている国や地域の数、観光客の数で、フランス語は英語に次ぐ地位を維持している。

実は算出項目に、もうひとつ見逃せない箇所がある。四つ目に「知識とメディア」という項目があるのだが、その点数項目に「映画（Feature films）」があるのだ。ネットや大学や学術誌での普及に並んで、「映画」における普及は、言語の国際影響力を測るうえで大きな採点ポイントなのである。

そして、「知識とメディア」項目で、現在、英語に続く二位はヒンディー語（インド）である。実際、いま映画の製作本数で世界一の映画大国は、インドなのだ。

❋中国は世界最大の映画興行主

中国情報提供サイトの「ＣｈｉｎａＰＡＳＳ」によれば、中国の映画市場は、興行収入で見ると、二〇一八年に六〇〇億元を突破した。二〇一〇年以降、毎年平均二〇％超のペースで発展を続けている。中国全土での映画興行収入の伸びは、以下の通りだ。

二〇一〇年：一〇〇億元（約一六〇〇億円）を突破
二〇一二年：日本を抜いて北米に次ぐ世界二位に
二〇一三年：二〇〇億元（約三二〇〇億円）
二〇一五年：四〇〇億元（約六四〇〇億円）
二〇一八年：六〇九億元（約九七〇〇億円）を突破

二〇一八年の興行収入世界一位の米国（一一九億ドル、約一兆三〇〇〇億円）を、すでに射程圏内に入れた。この数年、二二〇〇億円を超えたあたりで横ばいを続ける日本の映画興

2018年　米中日の映画市場

	興行収入	スクリーン数	公開本数	国産	外国
米国	1兆3000億円 （119億ドル）	43,459	758		（2割弱）
中国	9,744億円 （609億元）	60,079	501	381	120
日本	2,225億円	3,561	1,192	613	579

出所：米国は「米国映画協会2018 Report」、中国は「ChinaPASS」、日本は「日本映画製作者連盟」。為替は2018年平均参照: 1ドル110円、1元16円とした

行収入を、はるかに超えて世界二位。中国は、いまだ成長を続ける映画「興行」大国なのである。

作品的にも、ハリウッドの大作映画ばかりではなく、国産映画が中国国内での興行成績上位の過半を占めるようになってきた。二〇一八年には興行収入が五〇〇億円を超える作品も二本出て、世界の興行ランキング・トップ20（トゥエンティ）に入った。

この中国では、二〇一八年末には映画館数が一万館を超え、スクリーンの数は優に六万を超えている。二〇一八年の一年で九三〇三スクリーン増えた。もちろん、スクリーン数は北米をはるかに超えて世界一である。

さらに、海外において中国の大連万達集団（だいれんワンダグループ）は、米国二位のAMCエンターテインメン

ト・ホールディングスをはじめ、欧州最大のオデオン・アンド・UCIシネマズなどの映画館チェーンを次々に買収した。中国は、いまや世界の映画スクリーンの三分の一を所有し、本国のみならず全世界で最大の映画興行主なのだ。

ただ中国政府は、年間に公開できる外国映画の数に上限を設けており、その数はまだ年間三四本である。ただし、中国が共同製作者として出資参加すればその制限は受けないし、配給権を完全に中国側が買い取った作品も、制限の範囲外となる。

外国映画規制が原因で起きている現象が二つある。

ひとつは、規制を回避するために共同製作が多発し、中国がハリウッドで最大級の製作資金出資者になったということ。もうひとつは、ハリウッドがカネと観客を求めて中国詣(もう)でを始めたことだ。

いまや世界の映画市場は中国に攪乱(かくらん)されており、少なくとも影響下にあることは間違いない。中国は世界最大の「製作資金」と「観客」というカードだけでなく、世界最多の「スクリーン」という強力な興行カードと、「東のハリウッド」と呼ばれる世界最大の映画撮影所まで持っているのである。

❋「中国=悪役」が消えたハリウッド

中国は、世界の映画産業における圧倒的存在感を背景に、ついに映画の内容においても相当な影響を与え始めている。

『24 TWENTY FOUR』という米国のテレビドラマシリーズをご覧になった方は多いだろう。架空のテロ対策ユニット（CTU）の敏腕捜査官ジャック・バウアーが、テロ組織をタイムリミット二四時間のあいだに追い詰めるという、不死身のヒーローもの、ハードボイルドだ。二〇〇一年の九・一一同時多発テロ直後の一一月から放送が始まり、米国だけでなく全世界で大ヒットし、二〇一〇年までに八シーズンが放映された。

八シーズンにもわたって作品の新鮮味と迫力を維持する秘訣は、ヒーロー側ではなく、テロ集団である敵役（悪役）側にある。ヒーローの設定や性格はシーズンごとに変えられないが、敵役は自在である。面白い映画やドラマは、常に敵役がユニークで凶悪だ。そして、シーズンを追うごとに巨悪化していくものだ。『バットマン』シリーズを支えているのは、バットマンではなく、ジョーカーである。

さて、『24』シーズン1のヒール（悪役）は、ジャックと同じバックグラウンドを持つ「コケイジャン（白人）」である。以降のヒール（悪役）は、シーズン2「アラブ人」、シーズン3「ヒスパニック」、シーズン4「中国人」、シーズン5「ロシア人」、そしてシーズン6は再び「中国人」である。

シーズンを追うごとにヒールは巨悪化していき、チャイニーズマフィアが、シリーズ6で史上最強のヒールとして登場したのが二〇〇七年である。

そして筆者の記憶の限りでは、この二〇〇七年をもって、中国がヒールの映画やドラマは、ハリウッドから消えた……。

二〇〇九年のジョン・キューザック氏主演の近未来大作『2012』は、天変地異の大変動で地球が滅亡に向かうハルマゲドン映画だ。地球が滅亡する直前に、人は地球に存在する生物種（人間はじめ、動物、植物）を船に乗せて脱出させ、新たな世界で再び人類の文明を創るという現代版「ノアの方舟（はこぶね）」がテーマだ。

物語は、天変地異により断末魔を迎えた地球から脱出する人々の過酷な戦いを描いている。脱出を図る人々が目指すのは、中国にある船の建造基地だ。最後の希望である人類の文明の再興は、チベットから出航する中国建造の船から始まる。人類の未来は中国が担っている。

また二〇一五年のマット・デイモン氏主演、大御所リドリー・スコット監督のSF映画『オデッセイ』では、火星での探査任務中、アクシデントが発生し、マット・デイモン氏演じる宇宙飛行士が、ひとり火星に取り残される。

取り残された彼が、どうやって生き延び、生還するかという話だが、火星に緊急の食料輸送をするロケットの打ち上げが次々と失敗するなか、ついにこれを成功させて軌道に乗せるのが中国国家航天局である。中国ほどの成功率をもってロケットを宇宙に飛ばせる国はない、ということか？

そして、二〇一六年のエイミー・アダムスさんが主演するSF映画『メッセージ』は、評価も高い良品である。地球に次々と楕円形の巨大な浮遊体が降りてくる。その物体が、何ものなのか、どんな目的があるのか、なかに何かいるのか、何も分からない。ただ、そこに降り立って、じっととどまっているだけだ。

そこに、エイミー・アダムスさん演じる言語学者が、ある仮説をもってなぞ解きにかかる。しかし、いま一歩のところで十分なサポートが得られず、解明は遠のく。

異星人との開戦を目の前にして、人類への脅威が迫るなか、その脅威を取り除いたのは、中国の軍人である。

もはや中国が悪者である映画が、ハリウッドで創られることはない。逆に中国人が活躍する映画が、どんどん増えてきている。

中国が名目GDPで日本を抜いたのが二〇一〇年、名目GDPが世界の一〇％を超えたのが二〇一一年である。第二次世界大戦以降、世界のGDPで一〇％以上のシェアを取った国は、米国と旧ソ連、日本、そして中国だけ。そして、いまは米国と中国だけだ。

そして、中国が映画の興行収入で日本を抜いたのが二〇一二年である。中国の影響力はハリウッドにとどまらず、スポーツを含めたエンターテインメント全域に及んでいる。中国のソフトパワーは、今日も肥大化している。

✻中国がコンテンツ供給国になることはできない

製作資金と観客と興行と撮影設備まで、世界最大のものを備えた中国は、興行面では確かに映画大国だろう。しかし、それでは中国が世界のコンテンツ市場で覇権を握ったかといえば、そんなことはない。中国が世界のエンターテインメントを牽引しているかというと、そんなこともない。

なぜか？　中国から世界へ出ていくオリジナルがないからだ。

資金面でも興行面でも圧倒的な地位を獲得しているが、映画の最重要な要素である「創作」が、世界標準を満たしていない。

なぜか？　表現の自由がないからだ。

中国は人口が多いので国産映画にも十分な集客力がある。五〇〇億円規模の興行収入をあげる国産の作品も出てきており、全世界興行収入でも上位にランクインしている（海外配給も行われている）。しかし、大部分は国内収入で、海外で稼いでいるわけではない。

表現が統制されている、管理されている、それらの持つ意味は、とてつもなく大きい。

中国で『英国王のスピーチ』（二〇一〇年）が創られることはない。恋のために在任一年足らずで国王の座を放棄した国王や、吃音（きつおん）に苦労する国王が描かれているからだ。中国で指導者をこのように描くことはあり得ない。『くまのプーさん』さえ、習近平（しゅうきんぺい）国家主席に似ているという理由だけでNGの国なのだ。

当然、タイトル通りの『大統領の陰謀』（一九七六年）もダメだろうし、大衆を共感させるトム・クルーズ氏主演の反戦映画『7月4日に生まれて』（一九八九年）もダメ。政治・社会ネタだけでなく、『ビッグ・ウェンズデー』（一九七八年）のようなサーフィンを題材にした爽やかな映画も、そのなかで兵役拒否が描かれているからダメだろう。

つまり、ほとんどダメなのだ——。

批判精神をもって時代を切り取ることに、映画のひとつの大きな意義がある。

二〇一八年、カンヌ国際映画祭最高賞パルムドールを受賞した『万引き家族』のテーマはInvisible people（社会から隔絶・孤立した人々）、二〇一九年、アカデミー賞作品賞受賞作『グリーンブック』のテーマは、Diversity（多様性、差別）だ。そして、世界中で大きな話題となった二〇二〇年、アカデミー賞作品賞に輝いた韓国映画『パラサイト 半地下の家族』、そのテーマはDisparity（格差）である。

中国からは、このどれも生まれることはない。

映画は、基本的に、何らかの社会的制約や障害との葛藤と、その克服がテーマなのだ。ところが中国では、葛藤を描かれても、それを克服されても困るのである。ほとんどのことは統制のもとにNGだ。

しかも、統制を破ることは、中国では想像もつかないほど大きなリスクとなる。日本で一九八〇年当時、『四畳半襖の下張』事件（文書のわいせつ性の判断基準が争われた刑事事件）で、被告の野坂昭如氏は有罪となった。彼は「その後」も事あるごとにこのときの判決を批判し、笑い飛ばしていた。そして実際に、この事件は笑い話の種になった。これが中国だったら笑い話では済まない。野坂昭如氏に「その後」などなかったはずだ。

このような条件下では、すでに検閲を通過して安全なもの、つまり過去に前例があるものを、手を替え品を替えて作り直していくしか安全な道はない。

自由な発想と自由な表現は、「創作」に欠かせない絶対の要素なのである。

コンテンツの語義は「情報の中身」であると先に述べた。中身が粉飾されたり、歪曲されていたら、コンテンツとしての価値は失われてしまう。

中国が映画をはじめとしたコンテンツの消費国として巨大化していくことに間違いはないが、コンテンツ開発国・供給国として世界のエンターテインメント業界に君臨することは、当面ないだろう。思いのままに、多様なオリジナルを送り出す自由がないからだ。

ファッションブランドでも状況は同じだ。いま、世界中の高級ブランドを買い漁っているのは中国だ。中国が世界で一番のブランド購入国であることは間違いない。

しかし、だからといって中国をブランド大国とはいわないし、ブランド強国と呼ぶこともない。自らブランドを創出し、ブランドで外貨を稼いでいるわけではないからだ。「模倣ブランド大国」とは呼ばれているが。

映画をはじめエンターテインメントの分野で、中国が世界をリードすることはない。

しかし、中国が凄いのは、前にいる者を一気に抜き去るパワーだ。「勢い」はしばらく止まらない。

もし、エンターテインメントの世界で、中国がコンテンツの「創出力」で他国を圧倒する時代が到来したら、そのときの中国は、世界中に愛される国になっているだろう。

第四章　オタク文化の世界観が創るビジネス

＊コンテンツが創る「聖地」

エンターテインメント業界の用語に「聖地巡礼」という言葉がある。映画やマンガやアニメに登場する実在の場所が、ファンのあいだで話題となり、そこを訪れるファンが後を絶たなくなる。そうした現象を「聖地巡礼」という。エルサレムやバチカン、日本でも比叡山など、宗徒や門徒が、奉じる神や仏にまつわる重要な場所を訪れ、その地を回って歩くのと、同じ現象である。

この「聖地巡礼」が、最近では、観光資源として脚光を浴びるようになってきた。エルサレムもバチカンも、もとより聖地であるが、同時に重要な観光資源でもある。同じ理屈で、映画やアニメの舞台となった場所が新たな聖地となり、大勢のファンが訪れ、商業的な観光資源にもなっている。

「聖地巡礼」は社会現象にもなっている。「聖地巡礼」を題材に用いた辻村深月さんの小説『ハケンアニメ！』は傑作である。アニメ業界の「覇権」争いの話だ。アニメ業界の各分野で生きる若者、アニメの舞台となった場所を聖地として、街興しをする若者の姿がいきいきと描かれている。

コンテンツは、「聖地」を創る。コンテンツの力だ。

コンテンツに登場する場所が聖地化するのは、それが宗教であれアニメであれ、その場所を抜きにはストーリーが語れないからだ。そして聖地は、見たければ、触れたければ、感じたければ、実際にその場所に行くしかない。

たとえば筆者は、ｉＰｈｏｎｅが登場した直後の二〇〇八年に、米国カリフォルニア州クパチーノにあるアップルの本社を訪問した。サンフランシスコから南へ車で五〇分ほどの街に、その本社はある。ビジネスでの訪問ではあったが、スティーブ・ジョブズ氏とアップル、そしてｉＰｈｏｎｅ登場というストーリーが背景にあって、「聖地」訪問的な期待感があったものだ。

アップル訪問からしばらくして、今度は米国カリフォルニア州エメリービルのピクサー本社を訪問した。『トイ・ストーリー』で世界中に感動を与えたピクサーが、その後も快進撃を続けていた時期だ。

ピクサーの創り出すストーリーと、その制作集団に関わるストーリーにすっかり魅了されていた筆者にとって、この訪問も、まさしく「聖地巡礼」であった。

映画の主要キャラクターが随所で迎えてくれるピクサーの本社は、それ自体がアミューズメントパークであった。ストーリーとキャラクターが出揃った、ほぼ完璧な「聖地」となっていた。

「聖地巡礼」という現象は、コンテンツの底力の現れである。

聖地化によりコンテンツは、旗を立て、現実のものとして可視化され、実体化され、人を寄せ付け、人の経済行動にまで影響を与える。

聖地を持ったコンテンツは、強大なパワーを持った商材となる。観光地のお土産屋さんが「元祖〇〇」と喧伝（けんでん）しているのは、「聖地化」して、消費者の感情に訴えたいからなのだ。

＊「白戸家のお父さん」と『君の名は。』と『ラブライブ！』の聖地

ソフトバンクのテレビコマーシャルで有名な、「白戸家（しらとけ）のお父さん」（真っ白な北海道犬）の生まれ故郷は、戦国大名・朝倉氏の遺跡がある福井県の一乗谷（いちじょうだに）である。このＣＭを制作したクリエイティブディレクターの佐々木宏（ささきひろし）氏が、福井市の同遺跡の観光ポスターの制作を引き受けたことから、観光ポスターと「白戸家のお父さん」のコラボレーションが始まった。

二〇一〇年、一面の雪景色に包まれた一乗谷に立つ「白戸家のお父さん」の観光ポスターに続き、二〇一一年の夏には、お父さんが一乗谷の里山（さとやま）に帰省したという設定で新しいＣＭが放映された。一乗谷朝倉氏遺跡の観光客がたちまち急増した。

もともと、何もないところに、ファンタジーなストーリーを創って聖地化する。無から有

一乗谷の観光ポスター

を生み出した。これがコンテンツの威力である。

『君の名は。』は、新海誠（しんかいまこと）監督による大ヒットアニメーション映画である。二〇一六年に封切られ、国内興行収入二五〇億円を突破し、社会現象を引き起こした。その社会現象のひとつが「聖地巡礼」であったことも記憶に新しい。本作はアニメーションであるが、背景となる場所や舞台はすべて実在の場所だ。「聖地巡礼一〇選」など、『君の名は。』の聖地紹介サイトは無数に及ぶ。

以下の一〇ヵ所が聖地として紹介されている。①岐阜・飛騨古川（ひだふるかわ）駅②岐阜・気多若宮（けたわかみや）神社③岐阜・飛騨市図書館④岐阜・飛騨市宮川町落合のバス停⑤東京・新宿駅とバスタ新宿⑥東京・新宿歌舞伎町交差点⑦東京・新宿警

『ラブライブ！』の一場面と明神男坂

察署裏の信号⑧長野・立石公園⑨長野・諏訪湖⑩東京・四谷須賀神社。

聖地は広い地域を指すこともあれば、ピンポイントの場所を示すこともある。

東京の神田明神の横手に、神社に向かう明神男坂という坂がある。六八段の急坂である。人気アニメ『ラブライブ！』の舞台だ。主人公であるアイドルを目指す女子高生が毎日、体力トレーニングのため、この階段をダッシュで駆け上がる。

ここに、世界中からファンが訪れる。毎日のようにこの階段を駆け上がっている若い外国人観光客の姿を見ることができる。実際にやると相当きつい。

コンテンツの聖地を訪問することで、ファンはコンテンツの持つストーリーを体現し、ストーリーの一部となる。コンテンツからの洗礼を受けて、その門徒となるのだ。

元の素材が、ハード（物品）であれソフト（映像や音楽）であれ、ストーリーとキャラクターがあれば、コンテンツ化することができる。コンテンツ化することで、取り扱い方や取り上げ方を多様にして、価値を増幅することが可能になる。ファンも増やしやすくなる。聖地化は、コンテンツ価値の多様化のひとつである。

「カップヌードルミュージアム」も「白い恋人パーク」も、さらにファンを増やすという目的では、同じものである。

❋世界の聖地巡礼――『ローマの休日』

ハリウッド映画にも、昔から、聖地巡礼はあった。ローマは、もとより世界有数の観光地であるが、『ローマの休日』になぞらえたツアーや観光ルートがたくさんある。ローマを公式訪問した欧州某国の王女の速攻ローマ観光がテーマだ。

映画にはローマの主な名所が次々に登場する。『ローマの休日』は一九五三年の映画だから、すでに六五年以上が経っているのだが、いまでも聖地巡礼のためにローマを訪れる人が非常に多い。

ローマの街中では、いまでもオードーリー・ヘップバーンの初々しい写真が、そこかしこに貼られている。高知を訪ねると、街中に坂本龍馬(さかもとりょうま)の写真が掲げられているのと同じことだ。

キャラクターはその場所のアイコンになる。ヘップバーンはローマの、龍馬は高知のアイコンになっている。ストーリーとともに、街のキラーコンテンツなのだ。

キャラクターは永遠だ。ローマのヘップバーンは、いまでも「アン王女」なのである。

コンテンツは、ストーリーとキャラクターに乗って時代を超え、人々を魅了し続ける。

✻社会とコンテンツで同時に起こっていること

「IT革命」「デジタル革命」「インターネット革命」――いまの時代は「革命」のオンパレードだ。新年を迎えるたびに、「〇〇革命により激変する社会」という見出しがメディアを賑わしている。

それぞれに「革命」の意味するところは違うようだが、「革命」が引き起こしている現象、すなわち社会がどう激変しているのかに関しては、ほぼ同じ認識が定着しているようだ。

それは、ひと言でいえば、「個人と個人が、空間を超えて、瞬時につながる社会の到来」ということだろうか。我々は、すでに、そのような変化を体験しており、便利に感じたり好ましく感じたりもするが、戸惑いを感じたり危惧を感じたりもしている。

それでは、「個人と個人が、空間を超えて、瞬時につながる社会」というのは、いったいどのような社会なのか、具体的にどのようなことが起こっているのだろうか。この「激変」が、本書のテーマである「コンテンツ」という分野に、どのような現象をもたらしているのだろうか。

具体例で見てみたい。コンテンツで起こっていることが、社会全体で起こっていることと相似形（大きさが違うだけで形は同じ）であることに驚かれるであろう。

まずはクロスオーバーだ。

クロスオーバーとは、エンターテインメントのパフォーマーがジャンルを超えていくことを意味する。たとえば、ニューミュージックの歌手が演歌を歌うようなこと。語義としては、文字通り「境界を超える」ということだが、ネガティブな使われ方をすることはない。

アメコミ（アメリカン・コミック）の世界では、クロスオーバーは頻繁に用いられている。特定のキャラクターが作品を超えて他の作品に登場したり、異なる作品のキャラクター同士が共演して、別の新しい作品を創り出したりしている。

先述した「すべての革新は要素の新しい組み合わせである」というのは、企業家の不断のイノベーション（革新）が経済を動かすといった経済学者、ヨーゼフ・シュンペーターの言葉だ。

マーベル・シネマティック・ユニバース（MCU）においては、統一された世界観のもと、異なるヒーローの異なる作品が、ストーリーの時系列とキャラクターの関係性を共有し、クロスオーバーの作品群を構成している。

MCUから生まれた『アベンジャーズ』はクロスオーバーの大ヒット作品である。すでに単独で十分な人気と商業的実績を持つ複数のスーパーヒーローたちが、この作品では共演しているのである。

本書で何回も引き合いに出しているハリウッド映画『アベンジャーズ』は、一作平均で二〇億ドル（約二二〇〇億円）を稼ぐヒットシリーズだ。

アイアンマンは、『アベンジャーズ』で常に中心的な役割で活躍するスーパーヒーローだ。『アイアンマン』というタイトルのヒーロー映画が、三作品創られていて、三作目（二〇一三年）は興行収入一二億ドル（約一三二〇億円）を稼ぎ出している。『アイアンマン』単体でも十分に凄いのだが、クロスオーバーである『アベンジャーズ』は、これをはるかに上回っている。

『アベンジャーズ』には、アイアンマン以外のスーパーヒーローも多く参加しており、『アイアンマン』とはまた別の世界観を創り出すことに成功している。

クロスオーバーと似たような「共演状態」に関して、「チームアップ」とか「ゲスト」とか「コラボ」とか呼ぶべきものがあり、オタク的にはきちっと区別があるようだ。筆者はオタクを究めてはいないので、そこまで詳細には立ち入らないが、いずれにしろクロスオーバーには、単なる共演ではない、新しい価値の創造があるということだ。

ビジネス的にいうと、クロスオーバーは、「既存のキャラクターで、もう一度おいしい結果を」ということである。うまく当たれば、貨幣製造機のような「拡大再生産」のマシーンとなる。

❋『名探偵コナン』＋『ルパン三世』の成果

クロスオーバーは、日本に当てはめれば、ガンダムとウルトラマンがチームを組んでゴジラと戦うというような状況なのだが、滅多(めった)なことでは、日本でこのようなことは起こらない。

まず、権利者が違うことがほとんどなので、契約的に折り合いがつかない。制作的にも、クロスオーバーして複数のキャラクターが登場する世界観を創り上げることは、そのハードルが高い。

先述の通り米国では、コミックに限らず出版物の権利は、出版社が有するケースがほとんどだ。『アベンジャーズ』に登場するの複数のキャラクターを含めて、出版社であり映画スタジオでもあるマーベル社に権利が一元化しているため、権利処理は簡単である。

アメコミの世界では原作者の顔は見えない。

いずれにしても、『アベンジャーズ』のようなダイナミックなクロスオーバーは、日本では起こりにくい。

日本での成功例としては、『名探偵コナン』と『ルパン三世』のクロスオーバー作品、劇場版アニメ『ルパン三世VS名探偵コナン THE MOVIE』がある（二〇一四年に興行収入四二億六〇〇〇万円で年間六位、出所：一般社団法人 日本映画製作者連盟）。『ルパン三世』の日本テレビと『名探偵コナン』の読売テレビ各系列局が周年事業（開局五五年と五〇年）として、二〇〇九年にテレビ版アニメを共同制作。その後も周年事業で再びコラボし、二〇一三年に劇場版を公開した。

『名探偵コナン』は、二〇一四年に単体作品も公開され、こちらもヒットして、興行収入が単体として初めて四〇億円を超えた。毎年制作される『名探偵コナン』は、これ以降、年ごとに興行収入が大きく伸び、二〇一八年には九〇億円を超えている。『ルパン三世』とのクロスオーバーで弾みがついたのだ。

なお、コミックマーケット（コミケ）などファンが創り出す同人誌的、同好会的世界では、著作権やビジネス的制約が緩いので、ファンによる「勝手にクロスオーバー」が盛んである。

コミケに集まるファンは、作品や、キャラクターや、こだわりごとに、緩やかな同好の輪を作る。同好の看板を掲げるサークルも現れる。サークルごとに熱量は異なるが、それぞれの持つSNSに乗って、同好の輪は広がっていく。

＊「フェイスブック」は究極のクロスオーバー

クロスオーバーという現象を、アメコミや映画というところから離れて、もう少し広く見てみると、実は「フェイスブック」が、究極のクロスオーバーである。友達（仲間や同好の士）が旗を立てて集まる。海好きグループが山登りグループとつながって、グループが一気にユニークな拡大をする。友達グループが、当初は想定しなかったようなクロスオーバーを行いながら、連鎖し、増殖していくのである。

インターネットとSNSの普及は、現在の社会に、クロスオーバーという現象をもたらしているようだ。

たとえば電気自動車や自動運転車は、クルマとiPhoneのクロスオーバーである。単に駆動力の選択の問題ではない。物理的移動と知的作業がクロスオーバーするのだ。書斎や居間が、そのまま空間を移動するようなコンセプトで開発が進んでいる。

　またＡＩ（人工知能）は、母集団を超えて、最適解を求めに行く。人間の記憶域は、自分が存在する母集団の情報域が限界だが、ＡＩは平気でこれを超えていく。アマゾンが、ときどき、自分が考えもしなかった商品を勧めてくる。勧誘の中身を見ると、なぜか欲しくなるようなものばかりだ。私の潜在的欲望を、勝手にクロスオーバーしているのである。

　クロスオーバーの成否は、新しい世界観や価値が創造されて、参加者にいままでとは違う熱狂を提供できるかどうかにかかっている。一プラス一が二ではない世界を創り出せるかどうかにかかっている。

　日本は、コミケに見るように、もともとクロスオーバーは身近だし、新しい世界観を創ることもうまい。権利者が異なるという「権利の壁」を超えることができれば、日本にも、ダイナミックなクロスオーバーが出現する可能性は大きい。

＊「初音ミク」はスーパーファンダムの好例

　さて、「ファン」という言葉の由来は、英語の「fan」で、意味は「愛好家」である。ファンの愛好の対象は様々で、あらゆる人物や物事や事象が、愛好の対象となり得る。

　一方、「ファンダム（fandom）」とは、特定のコンテンツ（人物や物事や事象）に関して、そのファンが世界観を共有して創り出す「世界」のことである。文化や権威や領域という概念を包摂する抽象的な言葉。二〇世紀の初頭から使われている言葉だ。

そして「スーパーファンダム」は、二〇一七年に米国で出版された『Superfandom』に由来する。同書は『ファンダム・レボリューション』という邦題で、同年末に日本でも出版された。

同書では、ファンダムが創り出すプロモーション効果に焦点を当て、「これからの時代にカネを生むのはファンダムの世界だけだ」という大胆な予測のもとに議論を進めている。

インターネットによって、個人と個人、モノとモノが、空間を超えて瞬時につながる社会が到来した。コンテンツの需要者であるファンは、供給者である創り手あるいは対象物であるコンテンツとの距離を縮め、「コンテンツ＝ストーリー」のなかに参加することが可能になった。このまま行けば、やがて距離がなくなって重なるような「特異点」に至る。スーパーファンダムの世界が始まっているのだ。

同書のなかで、「初音ミク」が、スーパーファンダムの事例として紹介されている。初音ミクは、ボーカロイドと呼ばれる音楽合成ソフトの、コンピューター・グラフィックスによるキャラクターである。自分が作曲した曲を歌ってくれるバーチャルな歌い手でもある。

初音ミク自体はキャラクターなので、行動を起こすわけではない。ファンがミクに歌わせ、踊らせる。ファン同士でそれを披露し合って共有する。独特のファンダムが生まれている。

二〇一一年には、米国ロサンゼルスで初音ミクのライブコンサートが開かれ、数千人のファンが、ペンライトではなく彼女のトレードマークである「ネギ」のサイリウムを持って、会場に押し寄せた。米国内では、トヨタカローラのCMにまで登場した。

初音ミクは実在しているわけではない。実在するファンが、バーチャルな熱狂の世界を創り上げ、社会現象を起こしているのだ。

❋ファンがコンテンツのスポーツ観戦を拡張した世界

ネット社会の出現によって、ファンが待ち望むコンテンツ情報は、時間と空間を超えて、大量に、そして瞬時にファンの手元に届く。ファンはその情報を、そのまま、あるいは加工して、各人のネットワークのなかにいる仲間に拡散する。

個人と個人がつながっているネット社会では、さらに数ステップの拡散によって、幾何級数的に情報が広がっていく。その過程で新たなファンが増殖していく。ファンは、自らがファンにとどまるだけでなく、さらに多くのファンを生み出す連結環になっている。

ファンは、コンテンツの一需要者にとどまらず、その数を増やすことによって、独特の文化を創り出す創造主になっていく。それは時に、ファンが勝手に創り出す異形のものとなり、必ずしもコンテンツ自体が持つオリジナルの世界観の拡張である必要はない。何でもありだ。ファンダムの基本要素は、共感と数、それだけだ。

ファンダムには、偶然の産物的なものと、意図的に創られるものとがある。

ハロウィンでスパイダーマンのコスチュームを着る人は、世界中で無数にいると思われる。お互いに示し合わせたわけでもないが、たまたまスパイダーマンというひとつの価値観を共有している。ハロウィンの街で別のスパイダーマンに出会えば、きっと手を振る。コンテンツは、コミュニケーションの手段でもある。

ハロウィンの人気コスチュームは、毎年マスコミでも取り上げられ、その年の話題と世相を反映する。ハロウィンでのスパイダーマンのコスチュームは、その時点の流行と世相が創り出すファンダムである。

一方でスポーツのライブビューイングは、意図的に企画して、集まったファンが創り出すファンダムだ。満席でスタジアムに入れないファンは、あっさりと引き揚げたりはしない。場外の巨大スクリーンの前に集まって、場内に劣らぬ熱気で試合をスクリーン観戦し、場内へ届けとばかりの歓声を上げて、ひいきのチームを応援する。

人気の試合は、スタジアムを離れた場所でも、ライブビューイングが行われるし、スポーツバーにはファンが押し掛ける。最近では、初めからライブビューイングを目的にモニター観戦するファンが増えた。スタジアム内でリアル観戦するよりも、ファン同士が緊密で、スタジアムとは別の体験を味わうことができる。飲み食いでも選択肢が多く、試合観戦を口実にした飲み会の様相を呈している集まりも多い。

スタジアム内にいても、観覧席に着かず、フードコートに陣取ってモニター観戦するというファンダムができ上がっている。

スポーツのファンが、コンテンツである対象スポーツの観戦だけでなく、コンテンツを拡張したところに楽しみを創り出し、みんなで共有しているという図式である。「ファン」という存在の意味が大きく変わってきたのだ。

コンテンツの周りに、ファンは独自のファンダムをいくつも創り出している。そのパワーは雪だるま式に拡大し、スーパーファンダムの世界を築いている。

＊ファンダムが創る超巨大なゲーム市場

アメコミは、もともと、いわゆる「オタク」の嗜好品であった。それが映像化され、インターネットで拡散されることで、アメコミの商材的価値が一気に拡大し、もはやオタク・コンテンツではなくなった。

一方で、オタクであったアメコミ需要者はコアファンに格上げされ、コアファンはインフルエンサーとなって一般のファンを巻き込み、さらにブーマーとなって、ついにファンダムの創造主になる。

時代は、個人と個人がつながる、個人と世界がつながる現象を創り出した。口コミが購買の決め手としてビジネスを左右するようになってきた。「オタク」がカネのなる木になったのだ。ファンダムは巨大化しスーパーファンダムとなって、産業経済における消費動向にも影響を及ぼすようになった。これからの時代、カネを生むのはファンダムの世界だけだという予測は、あながち奇論ではないかもしれない。

こうしたファンダム・ビジネスの筆頭は、ゲーム産業である。グーグルがゲームの世界に参入するといって話題になっている。このニュースに驚くことはない。それが時代の流れなのだ。ゲームは巨大な可能性を持った成長産業なのである。

コンテンツのなかでも、ゲームの市場の持つ意味は特別である。以下、その理由について述べよう。

まず、ファンダムの創る市場としては圧倒的に規模が大きい。

二〇一八年の世界のゲーム市場規模は約一五兆円、ゲーマーは二三億人を超えた。現在でも年率一〇%以上の成長を続け、二〇二一年には二〇兆円に迫ると予測されている（出所：

「Newzoo」)。日本のゲーム市場だけでも二兆円を超えている。しかも年々伸びている。

ちなみに、世界の映画市場規模は、約四兆五〇〇〇億円、ゲーム市場はその四倍だ（出所：MPAA〈米国映画協会〉資料）。

ゲーム市場は、インターネットをはじめテクノロジーとの親和性が高く、シナジーを得て、さらに成長が見込まれる。

映画も新たなテクノロジーを積極的に取り込んでいるが、映画の世界で商品的なミュータント（突然変異体）は生まれない。映画におけるテクノロジーは、利用目的がはっきりしているので、試行錯誤は少なく、突然変異は起こらない。あるいは、起こっても捨て去られる。

一方でゲームのテクノロジー開発には、映画の数百倍の人数のエンジニアがパソコンひとつで参加している。偶然の産物としてミュータントが生まれる可能性が圧倒的に大きい。しかも、テクノロジー自体がゲームの一部なので、ミュータントは大事に育てられる。

諸説あるが、突然変異こそ人類の進化の原因であるという説は依然、有力である。時代はいま、突然変異を求めている。スタートアップの企業に期待していることは、突然変異なのである。そして、コンテンツのなかでもゲームは、突然変異が起こりやすい体質を備えている。

加えて、eスポーツが登場してきた。これを加えると、ビジネス的将来性は爆発的に大きい。なぜなら射幸性(しゃこう)が強く、課金システムを組み入れやすい。つまり、マネタイズしやすいのだ。

日本ではＩＲ（統合型リゾート）が、まもなく登場する。成人限定のカジノとファミリー向けエンターテインメントの中間にゲームがある。大人はカジノ、子供はゲームという振り分けだが、どちらも結構カネを遣ってくれるのだ。

✽オタクはカネのなる木

誰が使い始めたかは分からないが、ニッチリッチという言葉は、おそらく、ＤＲＭ（ダイレクト・レスポンス・マーケティング：情報に対して、問い合わせなどの返答をした見込み客をターゲットにしたマーケティング手法）を推奨したダン・Ｓ・ケネディ氏が使った、「Rich in Niche」、ニッチ（すき間）にこそリッチ（カネ儲けのチャンス）があるという言葉から来ていると思われる。ニッチリッチも同じ意味である。

本章における、「オタクはカネのなる木だ。カネを生むのはファンダムの世界だけだ」という議論とテーマは同じだ。

つまり、どこにファンダムの世界を創ればいいのか？

ニッチ（すき間）に、が答えだ。

ニッチは、すき間ゆえにキャパが小さい。常に少数派か希少派であって、主流になることはない。大きな流れを作って全体を動かすような影響力を持つことは、つい最近まではなかった。

惑星物理学者の松井孝典氏は、「インターネットの普及の意味は、地球システムのサブシステムたる人間圏の構成要素が、国や組織から個人に移行したことだ」と述べている。個人が「要素単位」として人間圏「全体のシステム」に直接、影響を与える時代になったということだ。

個人という単位が、いかに効率よく全体システムに影響を与え、全体システムを混乱に陥れることなく、静かにコントロールできるかを競っている時代なのだ。

これは、本章の初めに挙げた「個人と個人が、空間を超えて、瞬時につながる社会の到来」の大きな課題のひとつだ。

いずれにしろ、このことは、ネット社会の最小単位である個人による「ニッチの発想」と、ネットでの瞬時の拡散という組み合わせのなかから、思いがけない「巨額の富」が生まれる可能性を示唆している。

たとえばカイリー・ジェンナーさんという二二歳の女性の名前は、長者番付のニュースで初めて知った人がほとんどだろう。化粧品ブランドを立ち上げ、わずか三年で「フォーブス」の「米国の女性富豪2018ランキング」に、年収一九〇〇億円で登場したのだ。「コップに跡が残る心配のない口紅」というピンポイントを突いたウリ文句がネットで評判になり、この口紅を大ヒットさせて、ここから彼女の富豪伝説が始まった。

またブラックパンサーは、マーベルの「ファンタスティック・フォー」というスーパーヒーロー一家の友人として登場した、まさにニッチの黒人の脇役である。しかし二〇一八年、突如として主役となって脚光を浴び、世界的なブランドとなり、実写版『ブラックパンサー』は一五〇〇億円を稼ぎ出した。ニッチリッチの黒人ヒーローである。

であるならば、日本のオタク文化も、インバウンドを引き寄せるだけでなく、いよいよ世界に出てカネを稼ぐ時だ。日本が、ニッチリッチを実践する時である。

その際に留意すべきは、日本と外国のニッチは違うということ。日本のニッチが海外でもニッチとは限らないし、逆に日本のスタンダードが海外でニッチということもある。泡のないビールは前者で、日本ではニッチだが、海外では珍しくない。おしぼりは後者で、日本では普通のサービスだが、海外で見ることはほとんどない。

まずは、日本ではスタンダード（当たり前）だが、海外ではニッチなものの海外展開を試行することだろう。「カラオケ」や「エダマメ」は、いまや世界でもスタンダードになっている。

マンガもアニメも、まだまだこの条件に該当するコンテンツである。海外ではニッチであるうちが、実はチャンスなのだ。ニッチリッチは、日本のコンテンツの海外展開において大事なキーワードである。

第五章　世界のコンテンツ市場で日本はピカソ

✻寡作の天才はいない

天才は、生み出す作品（アウトプット）の数量が半端ではない。ピカソも葛飾北斎も、シェークスピアもモーツアルトも、何よりも驚くのは、これらの天才が残した作品の数である。

ピカソは生涯に一五万点、北斎は三万点以上の作品を残した。シェークスピアは長尺の戯曲三七を残し、モーツアルトは三五歳で早世するまでの作曲数が六〇〇以上ともいわれている。

限られた一生という時間のなかで、我々と同じ人間が、どうしたらこれほど多くの作品を創り出すことができるのか？　天才とは、まず作品点数の多さにおいて人間業を超えている。天才が天才たる所以である。

マーガレット・ミッチェルの『風と共に去りぬ』は、米国史を語るうえでは欠かせない大河小説である。彼女は、この一作だけしか遺さなかったことでも有名だ。映画も大ヒットし、世界中で読まれた超大作であるが、残念ながら、ミッチェルが天才作家と呼ばれることはない。

寡作の天才はいないのだ。

作品の産出量が多くなれば、必然的に、作品の質が研ぎ澄まされていく。さらには、作品の幅を広げていく。創作とは、天才の頭のなかにあるモチーフやアイデアを、リアルな作品として実現していく過程だ。その時々のモチーフやアイデアが、天才の「その時期」のジャンル（創作領域）や作風を創り出すのだが、やがて膨大な産出量がそのジャンルを網羅し、征服して、もはやそのジャンルには天才が刈り取るべき何ものも残らない。そして、天才のエネルギーは次なるジャンルへと向かっていく。

天才は自ずと作品の多様性を併せ持つ存在となる。

ピカソが生涯に残した作品数一五万点は、ギネスブックに記録として掲載されている。ピカソは九一歳まで生きた。長い創作活動において、ピカソは自らの作画スタイルを、何度も、がらりと変えている。そのスタイルは、青の時代から始まり、バラ色の時代、キュビズム、新古典主義、シュールレアリズムと、ジャンルごとに時代分けされている。

北斎もまた、生涯三万点以上を残し、その作品は富嶽百景のような風景画から、花鳥風月、浮世絵、読本の挿絵、スケッチ画集の漫画、春画まで、あらゆるジャンルに及んでいる。

ピカソも北斎も、産出量と多様性において、傑出した結果を残した正真正銘の「天才」である。

❋米国を圧倒する日本のコンテンツ産出量

「天才」は、元来、人に与えられる称号である。しかし、国についても自然条件、社会的条件、時代的条件など、国の「特性」というものが存在する。その特性は、あたかも神からの贈り物のごとき「天与の才」として、国に繁栄と文化をもたらし、他国を圧倒する力の源泉になっている。

さて、日本に与えられた「天与の才」、すなわち「天才」はどこにあるのか？　日本には、他の国を圧倒する「天才」があるのだろうか？

ある！　日本の天才はコンテンツ創出力にある、というのが筆者の答えだ。

ここでいうコンテンツ創出力とは、一次創作としてのオリジナルのものであって、ストーリーとキャラクターを生み出す力のことだ。

日米の年間出版市場（二〇一六年）を、いずれも推定値だが、比べてみる。日本は紙ベースでの書籍が六億二〇〇〇万冊、コミック単行本が三億七〇〇〇万冊、合わせて一〇億冊近い出版点数である。一方、米国は、紙ベースでの書籍は六億六〇〇〇万冊だ。電子書籍二億冊強を加えても、一〇億冊には届かない（数字は、日本は「出版科学研究所」、米国はマーケティング調査会社の「Ｎｉｅｌｓｅｎ」による）。

すると日本は、国民一人当たりに換算したら、米国の三倍近い量の本に触れている計算となる。出版の統計数字は、どの国も推計が多く、一〇〇％の信頼は置けないのだが、それでも日本が、少なくとも米国と比較して、国民一人当たりでは圧倒的な量の出版コンテンツを産出し消費していることは間違いない。

しかも、どの国も新刊本のおよそ一〇～一五％程度がフィクションなのだが、日本は三〇％近くがフィクションだ。日本は平均的な国に比べて、フィクションの数も割合も、圧倒的に大きいのである。

コンテンツ産業のフローで一次創作となるオリジナルフィクション（小説とマンガ）の産出量の多さが、日本のコンテンツの土台を支えているのである。

そして、圧倒的な産出量は、ピカソや北斎で見たようにコンテンツの多様性を担保する。日本のコンテンツの多様性は明らかである。再度、日本の出版物を例に取れば、その分類は、一般書籍から始まり、絵本、アート本、マンガ、アニメ、ゲーム、アイドルなど、実に幅広い。「学習マンガ」などというジャンルもある。マンガで日本や世界の歴史を学ぶシリーズ本は、長きにわたり売れ続けている大ヒット商品である。

さらに広くコンテンツ全体を見ても、どの国にもある美術や音楽、文学や映画はもちろん、日本にはマンガやアニメ、歌舞伎をはじめとする古典芸能、茶の湯や生け花、カラオケからメイド喫茶まで、まさに芸術から風俗まで、無限多様なコンテンツがあふれている。日本のコンテンツの多様性は世界に類がない。

ピカソが絵画の天才であったように、国としてのイタリアはデザインの天才だし、米国はシステム創りの天才。そして、日本はコンテンツの天才だ。世界のコンテンツ市場のなかで、日本は「ピカソ」なのである。

天才の創造物は、ストーリーとキャラクターに裏打ちされたコンテンツとして、万人の扱いが可能な商材となる。コンテンツは商材として流通市場（主としてメディア）に流れていく。流通市場の手前、卸売市場（コミコンやコミケ）は、コンテンツの要素であるストーリーとキャラクターであふれている。ストーリーとキャラクターを生み出しているものは想像力だ。コンテンツ創出力の源泉は想像力なのだ。

この想像力において日本は優位にある。その理由については先述の通りである。

❋コンテンツという当たりくじを換金できない日本

ここまで日本はコンテンツの天才だという話をしてきたのだが、実は、コンテンツで十分に稼げているわけではない。「デジタルコンテンツ白書」やＨＵＭＡＮＭＥＤＩＡの調査によれば、二〇一五年から二〇一八年にかけての日本のコンテンツ市場は、年率二％で伸びている。海外売上の伸びも見られたようだ。

しかし依然「微増」の範囲であって、喜んでいる場合ではない。日本のコンテンツ市場は、一二兆円程度なのである。これはGDP対比で二％程度。パチンコ・パチスロの市場規模（約二〇兆円）にも遠く及ばないのだ。

ハリウッド映画に『グッド・ウィル・ハンティング／旅立ち』という名作がある。マット・デイモン氏演ずる主人公は数学の天才だが、社会になじめない。チャンスが訪れるが、才能が天賦であるがゆえにその価値に気づかず、チャンスに対して積極的になれない。そんな主人公に向かって、幼友達がいう。

「お前はとんでもない当りくじを引いておきながら、それを換金しないっていうのか？　そんなことは俺が許さない！」

日本は当たりくじを持っている。コンテンツという当たりくじを持っている。ずっと前から持っているが、うまく換金できていない。その価値に気づいていないからだ。

しかし、早く換金しないと、換金期限が来てしまう。

二〇一六年、葛飾北斎の地元、東京・墨田区の両国国技館近くに「すみだ北斎美術館」がオープンした。北斎研究の拠点として、企画主体の美術館ではあるが、残念なのは北斎の作品点数が極端に少ないことだ。

一方、海外に目をやれば、ボストン美術館は、五万点ともいわれる浮世絵版画を所蔵していることで有名だが、ワシントンのスミソニアン博物館の一角にあるフリーア美術館には、北斎のコレクション、特に二百余点に及ぶ肉筆画のコレクションがあり、美術館の目玉になっている。

北斎は、現役時代から売れっ子画家だった。江戸時代の大衆が北斎に熱中し、画商や仲買も殺到したが、コンテンツとしての北斎を最終的に上手に「換金」したのは、海外のコレクターである。

コンテンツの扱いで大切なことは、その価値をしっかり評価し、まずは保全をすることだ。しかし保全にとどめてはいけない。そののちに系統立てて、しっかり運用していかなければならない。

日本には、コンテンツが身近にあふれている。警察署の入り口では、白バイに乗った警察官のアニメフィギュアが来訪者を歓迎している。警察署の入り口でアニメキャラが出迎えているのだ。こんな国は、ほかにない。日本はユニークなのだ。

このユニークさが、日本人には身近に当たり前に存在しているので、価値を感じない。北斎の絵は木版画として印刷され、版画としても読本の挿絵としても、多くが町方に出回り、庶民に大人気であった。しかし、その作品に電撃的なショックを受けたのは、日本人ではなく、外国人だったのである。

日本のコンテンツ政策で必要なことは、まず、コンテンツという当たりくじを持っていることを確認し、自覚することである。次に、その価値を正確に把握し、保全すること。そして、しっかり運用して、期限切れにならないうちに換金することである。

そのことに気づいてもらうことが、本書のテーマのひとつである。

✳創るほどに稼いでいない日本のコンテンツ

繰り返す。日本は、コンテンツの宝庫である。

それでは、実際、日本のコンテンツの海外展開はどうなっているかを概観してみよう。

日本のコンテンツで、早い時期から海外展開に積極的だったのは、ゲーム、アニメ、マンガである。いずれも二〇〇〇年代に入ってから順調に海外売上を伸ばし、クールジャパンを先導した。

しかし、同時期から始まったデジタル革命、さらにインターネット革命のなかで、ゲームはゲーム専用機からオンラインへ、アニメはパッケージからネット配信へ、マンガも紙媒体からネット配信へと、ビジネスモデルの転換に迫られた。

その矢先、二〇〇八年のリーマンショックで大打撃を受け、海外売上は一気に落ち込んだ。この機にビジネスモデルの転換を図ったが、転換には時間がかかった。既存事業との食い合い、複雑な権利関係、製作委員会方式、制作側の自前主義など、日本独特の障害をクリアし、再び回復軌道に乗ったのは、リーマンショックから五年後の二〇一三年頃であった。

ここから、クールジャパン戦略の浸透や世界での日本ブームも相まって、日本のコンテンツの海外売上は再び堅調に伸びていくのだが、以下に示すように額は小さい。

新たなフェーズを迎えた二〇一三年から二〇一八年の海外売上の伸びを見てみよう。ここでは、波及効果を除く各業界に還流した海外売上額だけ、つまり日本の「稼ぎ」を見ている(出所：マンガは「ICv2」から北米だけを推定。ほかは「デジタルコンテンツ白書2019」から)。

オンラインゲーム：一六四一億円から二一二二億円(三七％増)
アニメ：一六九億円から六〇三億円(二五六％増)
マンガ：一三〇億円から一八〇億円(三八％増、北米のみ。全世界はこの三倍から四倍)

確かに、いずれの数字も成長率は大きい。成長率が大きいのは分母が小さいからだ。

ゲーム業界はもとより総売上の七割以上が海外売上である。オンラインだけでなくゲーム専用機や家庭用ゲームソフトを含めると、実際の海外売上ははるかに大きい。

しかし、アニメとマンガの数字はあまりにも小さい。先述したアニメ産業の市場規模約二・二兆円、マンガの総売上約五〇〇〇億円という数字に比べ、この数字は小さすぎてピンとこない。つまり、全世界への経済的貢献の割には、日本が稼げていないということである。価値を見直して、海外での運用方法を再考する余地があるということだろう。

それでも、ゲームとアニメとマンガは大健闘だ。その様子は十分に計り知ることができる。

ところが、他のコンテンツ、すなわち映画、テレビ番組、音楽などは、多少伸びているようだが、海外市場に食い込んでいるという手応えは、まったく感じない。残念な状態である。

＊国内市場が大きい日本と小さい韓国の大違い

では、何が問題なのか？　一つ目は、海外で稼ぐつもりがないというモチベーション（動機）欠如の問題。作為の契機（事を起こす動機）がないのだ。打たないシュートは入らない。この傾向は、映画において顕著だ。

日本は豊かな国だ。海外に出て行かないでも、エンターテインメントもコンテンツも、地産地消で「そこそこ」やってくることができた。一方で、海外から入ってくるものは拒まないから（これも日本人の特徴だ）、日本のマーケットはコンテンツであふれる状態になる。限られたパイを膨大な数のコンテンツが食い合っているのだから、個々のコンテンツで十分に食える道理がない。それでも「そこそこ」やっているというのが、日本のコンテンツ産業の実態だ。

食い合っているのではなくて、分け合っているのだ。日本には、誰に見せるつもりかよく分からない映画や舞台がたくさんある。これらはレベルが低く、海外進出以前の問題であり、そもそも稼ぐつもりがないとしか思えない作品が多いことに驚く。それでも、自主制作や独立系の映画は次々に創られている……。

演劇においても小劇団が乱立し、観客を食い合いつつ、融通もし合って、細々と活動を続けている。

一方、韓国はハングリーだ。自国の市場だけを相手にしていては食っていけない。だから、初めから海外を視野に入れて物事が動いている。俳優も監督も積極的に海外に出ていくし、出ていったら行きっ放しで、戻ってこない人も多い。興行も初めから海外市場を対象にしており、ハリウッド顔負けの派手なアクションシーンなど、マルチカルチャー的な映画創りをしている。

韓国では、エンターテインメントとして、映画は極めて商業的なのだ。シリアスなテーマを一級のエンターテインメントに仕立てて、二〇二〇年のアカデミー賞作品賞に輝いた『パラサイト 半地下の家族』は、その好例である。

❋日本人役も中国人か韓国人が

二つ目は、海外に日本人がいないという人材欠如の問題。日本人が世界のエンターテインメント市場にいないのだ。創作は離れ小島で行うことができても、海を渡って売りに行かなくては、稼ぎにはならない。

日本の映画は、海外進出モチベーションが低いのだから、もちろん海外に人も出ていない。ハリウッドにはアジア系の俳優が山ほどいるが、日本人は、ほとんどいない。映画のキャラクターとして日本人役が登場することもあるが、演じているのは日本人ではない。韓国人か中国人の俳優だ。『ＳＡＹＵＲＩ』の主人公を中国人女優チャン・ツィイーさんが演じて話題になったことは記憶に新しい。

それでもまだ、何人かは日本人俳優がいるのだが、監督に至ってはゼロだ。二〇二〇年までの一〇年、アカデミー賞の監督賞受賞者は、米国人はひとりだけ。あとは、海外出身の監督だ。メキシコ出身監督が五回受賞している。台湾出身のアン・リー監督もアカデミー賞の常連だ。『パラサイト 半地下の家族』のポン・ジュノ監督も、拠点を米国に移している。

海外で競争力を持つマンガとアニメそれにゲームに関しては、実際に海外で活動している日本人が相当数いる。これらのコンテンツに対する海外での需要も年々増加している。日本発コンテンツは、この三分野に関しては、世界市場での関心も高く、プレゼンスも大きい。そして、そのポジションを維持し拡大するためには、海外の拠点に日本人のスタッフやアーティストを配することが不可欠なのである。

ところで実は、いま最も大きな問題は、IT分野（シリコンバレー）に日本人がいないことだ。ゼロではないが、中国や韓国、インドや東南アジア諸国と比較して、圧倒的に少ない。

これからのコンテンツ・ビジネスは、ITと切っても切れない関係になっていく。それはIoTでありAIであり、コンテンツの制作からマーケティングに至るまで、IT分野との連携は絶対に欠くことはできない。

この分野に、日本人が圧倒的に少ないのだ。このことは、世界のコンテンツ市場での日本のポジションに大きく影響を与えていく。放っておくと、ボディーブローのように効いてくる。ITやコンテンツの分野に、日本の若者を送り出す政策が必要だ。

＊マーケティング能力・技術の欠如

三つ目は、海外で販売促進するのが下手だという、日本人のマーケティング能力欠如の問題である。

製造品の場合、買い手は、テレビでもパソコンでも買うものが決まっていれば、機能と使い勝手と価格を比較して候補を絞る。ここまでは客観的な基準なので、価値を標準化できる。あとは、ブランドと販売力で勝負となる。

ところがコンテンツは、たとえば映画のように、個々の作品（商品）が違った価値を持ち、かつ個人によって、その価値に対する欲求度や評価が大きく異なる。主観的な価値判断に委ねざるを得ず、価値を標準化しにくい。作品が当て込んでいるターゲットの観客層にどう訴求するか。販売力ではなく、マーケティング能力が必要な分野なのだ。日本は、ここが弱い。

日本では、ビジネスの世界でも、良ければ売れる、正しい行いが報われる、といった原理的な考え方が強く残っていて、もとよりマーケティングには、あまりカネと時間をかけないできた。しかし、善し悪しの判断も、正否の判断も、最後は主観の問題であるから、良いものは売れるといった原理的な考え方は幻想でしかない。

たとえば、筆者が米国サンフランシスコで暮らしているあいだ（二〇〇三～二〇一四年）に、韓国の「慰安婦像」問題が再燃した。米国西海岸では連日、テレビの韓国語専用チャンネルがこの話題を取り上げて、キャンペーンを張っていた。もちろん論調としては、日本が悪者である。少なくとも筆者の知る限り、日本政府はこの件に関し、西海岸で有効なマーケティング活動、すなわち広報活動をしていた形跡はない。

❋コンテンツ産業にソニーやトヨタがいない日本

四つ目の問題は、ネットにおけるマーケティング能力の補強である。

インターネットが普及しSNSが浸透してきたこの一〇年で、コンテンツのマーケティング手法も大きく変化した。コンテンツに対するコメントは主観的なものだ。ところが大量の主観的評価が集まることで、ある種の客観的指標として機能する状況が生まれている。要は口コミなのだが、その集計は、瞬時に、誰にでも簡単にできる。サンプル数（口コミ件数）が大きくなれば、統計的に客観情報としての意味を持ってくる。たとえば、一時間のあいだに一万人が投票して、そのうち九五〇〇人が「いいね」といえば、良さそうだと思うことに合理性が伴う。

大量の「いいね」や「☆」を、信頼性のモノサシとして提供し始めたのがネット社会である。「トリップアドバイザー」や「Booking.com（ブッキング・ドットコム）」に対する信頼は、これらのサイトに集まる投票数の多さが支えている。

消費者・利用者の行動データをさらに分析し、新たなマーケティング手法を開発したのが、ＧＡＦＡに代表されるプラットフォーマーである。アマゾンに任せておけば、オフィスサプライはショートすることなく供給され、支払い台帳まで整ってしまう。

日本には、世界レベルのプラットフォーマーは育たなかった。日本の企業の生産要素と情報の流れは、基本的に、過去も現在も「タテ型」である。プラットフォームのような分野横断の「ヨコ型」展開というのは、残念ながら、得意科目ではなかった。

本書で論じているのはコンテンツの未来である。コンテンツで稼いでいくために、必ずしもプラットフォーマーであることを必要とはしないのだが、プラットフォームに自在にコンタクトが取れて、時には有利に交渉できる能力と技術が必要だ。国がコンテンツにカネを出すなら、この部分にこそ注ぎ込まなければいけない。

五つ目の問題は、リーダー企業不在である。

世界に冠たるエンターテインメントあるいはコンテンツの日本代表企業は？　と聞かれても、すぐに名前が出てこない。ソニーやトヨタのように世界中で名前が知られている企業がない。任天堂がやっと、といったところか。

名前も出てこないのだから、ディズニーやネットフリックスと戦いようがない。名前がなければ競技には参加できないのだ。

❋東野圭吾『ナミヤ雑貨店の奇蹟』だけで海外累計一〇〇〇万部

さて、では日本は、どうやってグローバルのエンターテインメント市場で、存在感を高めていけばいいのだろう？

映像、音楽・音声、文字・画像、ゲーム、さらに、サブジャンルである映画、アニメ、マンガ、インターネット配信など、対象分野によって具体的戦略は異なるが、先に見たように、改善すべき課題は共通だ。これをどのようにクリアしていけばいいのだろう。

まずは、積み上げ方式である。とにかくコンテンツを海外に出して、サンプル数を増やし、実績を積み上げていく。そのうち、かならず当たりが出る。当たりが出たら要因を分析し、重ね打ちで一点突破だ。これを繰り返せば、いずれ壁に穴が空く。向こう側が見えたら、業界を挙げて一気に資源を投入してなだれ込む。

いうは易し。分かってはいても、誰もそこまで辛抱できない。それでも、これがいつの時代も正攻法だ。

具体的には、最初は制作リスクを取らず、ライセンス（権利販売）で、チャンスがあったらとにかく海外に出てみることだ。いま積極的に出ているのはマンガとアニメとゲームであるが、他分野にも同様にチャンスはある。

たとえば、東野圭吾(ひがしのけいご)氏の小説だ。『ナミヤ雑貨店の奇蹟』だけでも海外で累計一〇〇〇万部以上を売り上げている。韓国と中国では、ここ数年来東野圭吾ブームである。

韓国の大手書店「教保文庫(キョボ)」が発表した二〇〇九年から二〇一九年の一〇年間で最も売れた作家は、韓国人を抑え東野圭吾氏が一位だった。

中国でも空前の東野圭吾ブームだ。二〇一七年には、『ハリー・ポッター』シリーズで長年君臨してきた英国人作家のJ・K・ローリングさんを抑え、「中国で最も稼ぐ外国人作家ランキング」の一位になった。『手紙』『ナミヤ雑貨店の奇蹟』は舞台化もされている。二〇一八年には『白夜行』がミュージカルになって大ヒット、二〇一九年には中国全土で一〇〇回を超える公演が行われた。

映画も放送も音楽も、とにかく海外に売りに行ってみることだ。打たないシュートは入らない。ライセンスであれば、出費も資本投入もいらないので、リスクはほとんどない。

コンテンツの種類によっても作品によっても、海外展開の戦略と実践方法は異なるが、大事なことは、その気になって重い腰を上げることだ。

海外に出る気になれば、すでに世界を席巻しているメディアやプラットフォーム（ネットフリックスやアマゾンやユーチューブ）がある。そこにコンテンツを出して（ライセンシングして）、あとはひたすらマーケティングを考えることである。

＊クールジャパン戦略担当大臣が北方領土も担当？

そして、何よりも必要なことは、海外に打って出る「本気」と「覚悟」である。「クールジャパン戦略」は、担当省庁の頑張りもあって、それなりに成果が上がってきている。ここは政治が率先して、「本気」と「覚悟」を示してほしい局面である。

クールジャパン戦略担当大臣は、二〇一二年、第二次安倍晋三（あべしんぞう）政権で初めて設立されたが、内閣府特命担当という掛け持ち大臣である。初代は、行政改革担当、公務員制度改革担当、国家公務員制度担当、再チャレンジ担当との掛け持ちであった。その後も、沖縄及び北方対策担当、科学技術政策担当、宇宙政策担当、情報通信技術（ＩＴ）政策担当などと、その都度（つど）、掛け持ち分野も変わっているが、多分野の掛け持ちであることは変わらない。クールジャパンを北方領土や宇宙と一緒にこなせる人などいるわけがない。

内閣改造のたびに掛け持ちの範囲が異なり、クールジャパン戦略担当大臣は常に入れ替わる。これまで留任はない。大臣ポストの調整弁のような扱いにしか見えない。このような政治の関わり方で、コンテンツによる国家百年の計を唱えることには無理がある。

戦略の要諦は「本気」と「覚悟」である。本気と覚悟に裏打ちされない戦略など、絵に描いた餅だ。政治が本気と覚悟を見せる時である。

人間の欲求は「モノ」から離れて、観光や健康や美容、安全や安心、刺激や興奮や安らぎ、教育や学習や自己実現といった無形の「コト」、すなわち情緒的価値に向かっている。情緒的価値に訴えることができるのは、最終的には「本気」と「覚悟」しかない。

❋クリエーターは大勢、プロデューサーは少数

「創ること」と「稼ぐこと」は、もとより別モノ、異なる行為である。

「創る人」は表現者であり、クリエーターである。読者や観客がいてもいなくても、お構いなしに、とにかく創る。創ることが好きなのだ。放っておいても創る。カネにならなくても創る。

「稼ぐ人」はビジネスマンであり、商売人である。彼らは、対象が何であれ、売ってカネにするのが得意だ。段取りに長けている。稼ぐ人は、才能とカネを集めて「ビジネスを創る」のである。その役割を担うのがプロデューサーだ。画商も編集者も、アーティストの才能をカネにするプロデューサーなのである。

ところが、日本には創る人は大勢いるが、海外に出向いていく腰の軽いプロデューサーが

少ない。経済産業省は、映画振興のための海外プロデューサー研修プログラムなどを用意しているが、一件当たりの予算が小さいことと、研修終了後の出口プランがないことで、十分に機能していない。残念だ。

プロデューサーを本気で育成するなら、東京大学か東京藝術大学に専科を設けるのが一番手っ取り早い、と筆者は思う。クリエーターは専門学校で十分に学べるが、プロデューサーは総合力が問われるので、できるだけ大きなブランド力のある学究機関に育成プログラムを設けるのがいい。フロンティアに旗を立てよう。

✻日本の映画監督のギャラは米国の一〇分の一

ハリウッドは、もとより海外市場を念頭に映画製作をしている。実際、米国映画産業においては、海外からの年間興行収入が五〇%を超えている。

中国、韓国、インド、トルコや中東でも、海外市場を視野に入れた製作が行われている。最初から英語で製作ということも珍しくない。

ところが日本の映画は、海外市場を、ほとんど視野に入れていない。

最大の理由は、日本に「そこそこ」の市場が存在しているからである。「映画」の興行収入は、二〇一六年以降、二二〇〇億円を超えたあたりで上下している。米国と中国に続き世

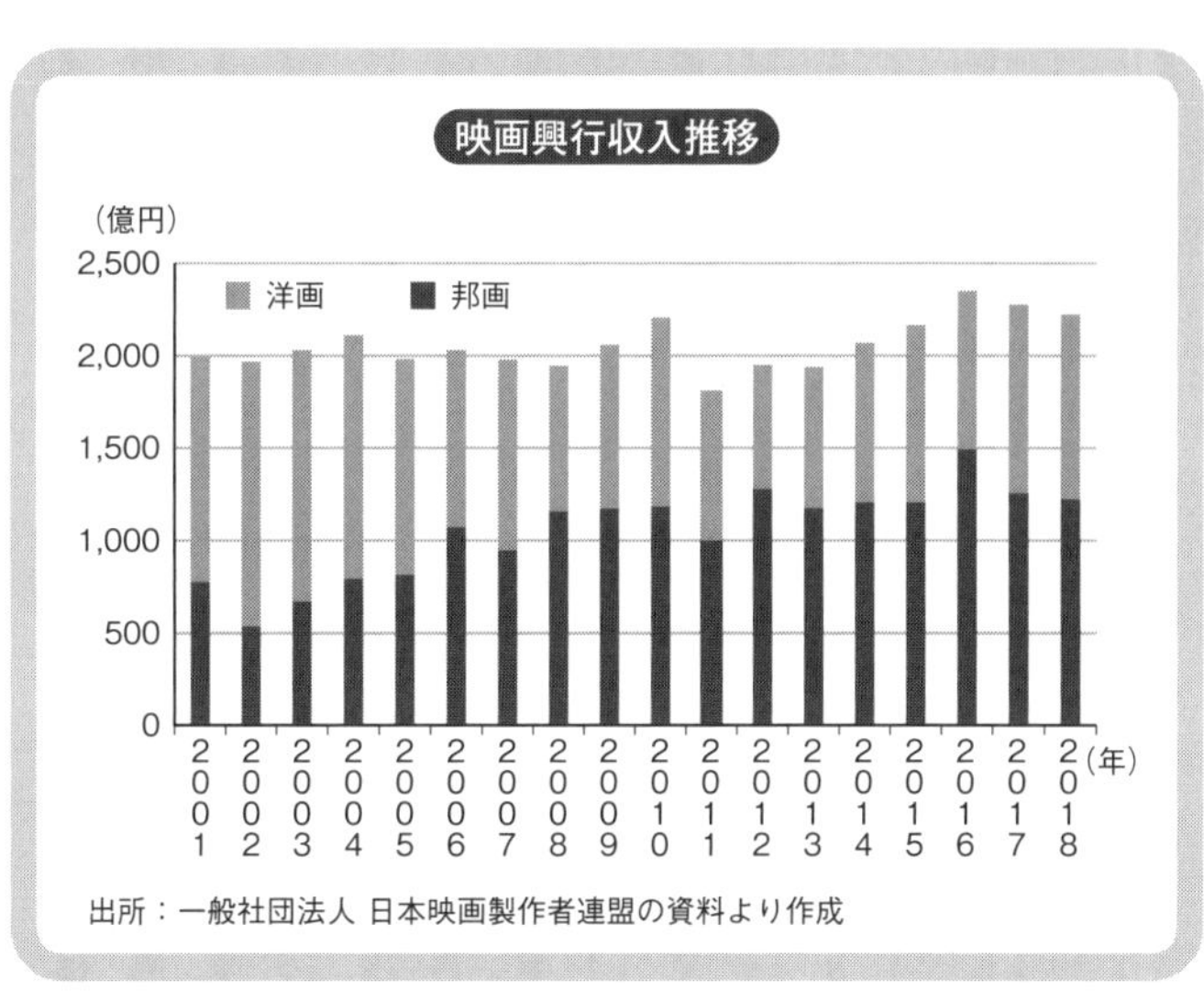

出所：一般社団法人 日本映画製作者連盟の資料より作成

界で三番目の市場を持っているので、映画会社はみな「そこそこ」に稼げているという幸せな国だ。何もリスクを取って世界に出ていかなくても、日本の市場を相手にしていれば、「まあまあ」食えるのだ。

日本の映画市場については「そこそこ」「まあまあ」といったところなのだが、製作スタッフとキャストが、十分に食えているわけではない。

日本では、一流の大御所監督が映画を一本撮って、ギャラはやっと二〇〇〇万円に届くかどうかというところ。しかも大御所は、撮っても年に二本である。年間五～六本撮る人気監督は、おそらく一本、六〇〇万～八〇〇万円で撮っている。撮るのが大好きなのだ。ギャラは米国の監督の一〇分の一か、それ以下である。

助監督はじめ映画のスタッフのギャラは、よくて監督の半分が上限だろうし、ほとんどタダ同然で働くスタッフも多い。みんなぎりぎりの生活をしているのが現状だ。それでもやりたい人が後を絶たない。みんな映画が大好きなのだ。

もちろん米国でも、駆け出しのスタッフはタダ同然でよく働く。しかし、キャリアを積んでいけば、ギャラの天井は無限に高い。ハリウッドで働くのは、ウォールストリートで働くくらい金銭的に魅力なのだ。だからこそ、優秀な才能が次々に、好きだという理由だけでなく、金銭的なリターンも含めた「成功」を求めて、ハリウッドにやって来るのである。

＊マーケティングのみ海外を意識した『万引き家族』

日本が創る映画は、海外の市場や観客を対象にして創られていない。

ひと昔前の『Ｓｈａｌｌ ｗｅ ダンス？』（一九九六年）や最近の『君の名は。』（二〇一六年）などは、狙って海外に出ていったわけではない。面白い良質な作品が海外でも受けただけだ。日本は製作本数ではどの国にも引けを取らないので、たまには当たりが出る。

一方で、是枝裕和（これえだひろかず）監督の『万引き家族』（二〇一八年）のように、海外展開を視野に入れて製作され、海外でもヒットした作品もある。この作品は、カンヌ国際映画祭で最高賞パルムドールを獲得した。

ただし『万引き家族』は、海外の観客を意識して創られたわけではない。主題が世界における今日的な問題であったということなのだが、創りそのものは、一〇〇%是枝流日本映画だ。クリエイティブな部分ではなく、マーケティングにおいてのみ、海外展開を視野に入れていたということだろう。世界中で公開され、全世界興行収入七〇〇〇万ドル（約七七億円、そのうち日本が四五億五〇〇〇万円）を記録した。

二〇二〇年、ポン・ジュノ監督の韓国映画『パラサイト 半地下の家族』がアカデミー賞を総なめにして話題になった。『万引き家族』と同じく、世界共通の社会問題を自国語で取り上げた映画だ。両作品はよく似た背景と出自を持った映画で、同様に語られることがあるが、決定的に異なるところがある。『パラサイト 半地下の家族』は、初めから海外の観客を意識して創られているという点だ。

❋海外を視野に入れた映画創りのポイント

それでは、初めから海外を対象にして映画を創るというのは、どういうことなのか？

まず、原作物であれ、オリジナルであれ、題材が海外で観客を呼べるか、カネを払って観に来てもらえるか、その判断が重要だ。

そのうえで、日本語でやるのか他の言語でやるのかを決める。日本語でやるなら英語版の字幕または吹替えを前提に、登場人物の名前や造形を、海外の人にも分かりやすくしていく。日本独特の要素を置き換えたり、文脈のなかで簡単に説明したりすることが必要になる。

スタジオジブリの海外での二大ヒット作品のタイトルを見ると、『もののけ姫』の英語タイトルは『Princes Mononoke』（一九九七年）、『千と千尋の神隠し』は『Spirited Away』（二〇〇一年）であった。「もののけ」は英訳不能、「神隠し」は強引な英訳だが、感じは伝わったようだ。

これらは日本で公開後の海外向けタイトルの話だが、事前に海外を意識して創るとなると、タイトルひとつ取っても、大ごとである。全編にわたり、日本的な事柄を意味の通る英語で、瞬時に流れていくシーンとセリフのなか、よどみなく落とし込んでいかなければならない。

邦画の海外への販売額は、かつてはジブリ作品があっても数十億円程度であったが、近年、その数字を伸ばしている。そして二〇一七年と二〇一八年には二〇〇億円を超えた。しかし依然、数本のアニメーションと映画賞受賞作品によるところが大きく、日本の映画産業が国際化しているというわけではない。

日本映画の市場が海外にないから、海外映画市場に日本人がいないのか。あるいは、日本人がいないから、市場が立ち上がらないのか。いずれであっても、事実として、ハリウッドには、日本人がいない。ほとんどいない。売っている人間がいないだけではなく、製作に携わり創っている側にも、日本人がいないのだ。人がいないのだから、稼ぎようがない。

マンガ、アニメ、ゲームに関しては、携わっている日本人が、米国にも欧州にも、相当数いる。日本の会社が出ていって、売っている。小学館や集英社は、ずっと以前から、米国にマンガを主とした英訳出版の会社を持ち、アニメやゲーム、商品化も含めたライセンス事業も行っている。講談社も米国内に二つの子会社を持っている。ゲーム会社は、ほぼすべての制作会社が海外拠点を持っている。

映画だけが、海外での人的プレゼンス、ほぼゼロである。

＊国家戦略としての「クールジャパン」

いまでは「クールジャパン」の推進が、国の成長戦略として位置づけられており、政策議論がなされ、国家予算が付いていることを、大半の国民が知っている。伝統文化や地域文化、マンガやアニメに代表されるポップカルチャー、デザインやファッション、和食や日本酒などの食文化といった、日本の豊かな文化が創造・演出する魅力を総称して「クールジャパン」と呼ぶことにも、すっかり慣れた。

さて、『YOUは何しに日本へ?』というテレビ東京系列の番組がある。二〇一三年の放送開始から七年に及ぶ人気番組である。訪日外国人が目指してやって来る「日本」、彼らが語る「日本」は、我々日本人でさえ知らなかったり、気づかなかったりする「魅力」にあふれていることに驚く。日本は、実に「クール」なのだ。

そんななか「クールジャパン」に代表されるコンテンツに関わる国家的議論は、大きくは次の三つの流れのなかで展開されてきた。

ひとつは、知的財産戦略に基づく「知的財産基本法」(二〇〇二年)と「コンテンツの創造、保護及び活用の促進に関する法律」(二〇〇四年、通称「コンテンツ促進法」)の制定である。

二つ目は、「産業活力の再生及び産業活動の革新に関する特別措置法」(二〇〇九年、通称「産活法」、のちの「産業競争力強化法」〈二〇一四年〉につながる)に基づく「産業革新機構(INCJ)」(二〇〇九年。二〇一八年、産業革新投資機構に改組)の設立。

そして三つ目が、「海外需要開拓支援機構」(二〇一三年、通称「クールジャパン機構」)の設立である。

知的財産基本法は、知的財産をもとに、製品やサービスの高付加価値化を進め、知的財産立国を目指すという理念を掲げた。知的財産を定義し、知的創造サイクルの活性化（知財の創造・保護・活用・人材育成）を目標とし、戦略本部の設置と、戦略計画の策定を行うことを定めた。

コンテンツ促進法は、知的財産基本法の理念に基づき、国や関係団体の役割を明らかにし、コンテンツ事業の振興に必要な施策を定めた。コンテンツの定義もなされている。

産業革新機構とクールジャパン機構は、いわゆる官民ファンドである。官民ファンドは、政府と民間が共同して出資するファンド。国の政策に沿って創設されるため、国の出資が大部分を占める。「官民」というよりは、官製ファンド、あるいは政府系ファンドと呼ぶほうが実態に近い。

出資の財源は、両機構とも財政投融資（財投：国が行う事業投資あるいは事業融資）の特別会計である。産業革新機構は財投の他にも財源として、政府保証借り入れが認められていた。

＊「国際的」だが「グローバル」でない日本企業

バブルが崩壊した一九九〇年代、日本経済は長期に低迷し、産業の国際競争力は低下の一途をたどった。ＩＴ時代が到来しても産業界にヒーローが出現することはなく、新たな産業分野での日本の海外プレゼンスは、ほぼ皆無に等しくなった。

今日、GAFA（グーグル、アマゾン、フェイスブック、アップル）と呼ばれるITの巨人は、二〇〇〇年からの一〇年で、ほぼ今日の地歩を築いた。この間、世界、特に米国では、GAFA以外にも多くのITベンチャーが起業した。しかし、そのあいだ日本には、こうしたIT系世界企業が生まれる「契機」がなかった。

ミレニアム前後から「グローバル」という言葉が実体を持って使われ出した。文字通り「世界規模」「地球規模」という意味である。インターネットの普及によって、「世界中に訴求する」「地球規模で網をかける」ということの意味するところが、具体的に感じられるようになった時代である。

日本人や日本企業は、依然「インターナショナル」を志向して海外に進出し、文字通り「国際的」ではあったが、「グローバル」ではなかった。「グローバル」という発想や概念を持ち合わせていなかった。グローバルの「契機」がなかったのだから、グローバル化が起こる道理がない。

アマゾン創業者のジェフ・ベゾス氏が、将来の「月移住計画」を目指して宇宙航空開発の会社ブルーオリジンを創立したのは、まだアマゾンさえ黒字化していない二〇〇〇年のことである。宇宙から地球を俯瞰（ふかん）していたのだと思うと、恐ろしくもある。

フェイスブック設立は二〇〇四年である。二月に起業し、一二月に登録会員数一〇〇万人を超えた。その後の地球規模的な広がりには、誰も想像できないほどのスピード感があった。

月間アクティブユーザー数が、二〇一〇年には五億人を、二〇一二年には一〇億人を、二〇一七年には二〇億人を超え、二〇一九年六月時点で二三億六〇〇〇万人。地上の四人に一人がフェイスブックを使っている。

まさに、地球に網をかけているのだ。

ＧＡＦＡ以外にも目を向けると、米国調査会社「CB Insights（シー・ビー・インサイツ）」によれば、二〇一九年七月現在、国別ユニコーン企業（株式評価額が一〇億ドル〈約一一〇〇億円〉を超える創業一〇年以内のＩＴ系未上場会社）数は、米国一八七社、中国九四社、英国一九社、インド一八社、韓国九社などである。日本は大きく遅れており、「Preferred Networks（プリファードネットワークス）」（ＡＩ、ＩｏＴ）、「リキッドグループ」（仮想通貨）、「スマートニュース」（ニュースアプリ）の三社だけである。

しかも、これら日本のユニコーン企業の推定企業価値は、ユニコーン企業の基準である一〇億ドルすれすれである。米国「Ｕｂｅｒ（ウーバー）」の七兆円、「Ａｉｒｂｎｂ（エアビーアンドビー）」の三兆円とは比較にならない。

❋産業革新機構の四つの目的

日本が直面するこのような状況に対し、二〇〇九年、「産業活力の再生及び産業活動の革新に関する特別措置法」（産活法）が成立し、産業革新機構が創設された。

官民ファンドとしては大規模なもので、当初の出資額は政府が二六六〇億円、民間二七社で計一四〇億円、この他に政府保証による借入枠を含め二兆円ファンドと呼ばれた。

産業革新機構は、次の四つを目的として設立された。

① 経営資源の再編による産業の革新（オープンイノベーション）
② 次世代の国富を担う産業の創出
③ 民間では取り切れないリスクマネーの供給
④ 新規企業の支援・育成により支援先企業の価値増殖

この目的に資するよう、三つの投資基準も設けた。

① 社会的ニーズへの対応：エネルギー・環境、健康長寿社会、生産性向上など、社会的課

題に対応するもの。

② 成長性：付加価値創出、民間事業者の参加、ＥＸＩＴ（株式売却・公開等処分の可能性）を成長性の三条件として付した。

③ 革新性：先端技術、ベンチャー、事業再編、海外経営資源などを革新的要素として、新たな付加価値を創出するもの。

さらに、投資対象となる事業の、事業化のステージを次のように分類した。

① アーリーステージ：事業化以前、企業や大学内の潜在的知財の集約・有効活用。

② ベンチャー企業等：ベンチャー企業が保有する知財の集約・有効活用、大手との協働。

③ 再編と海外：オープンイノベーションの実践としての経営資源の「再編・統合」と「海外」資源の活用。

❋産業革新機構のコンテンツへの投資実績は

産業革新機構では、二〇〇九年の設立から二〇一九年三月末までの一〇年間で、支援決定金額の総額が一兆一三九五億円に達した。この原資は、政府からの出資金二六六〇億円、民

産業革新機構の投資決定件数と支援金額

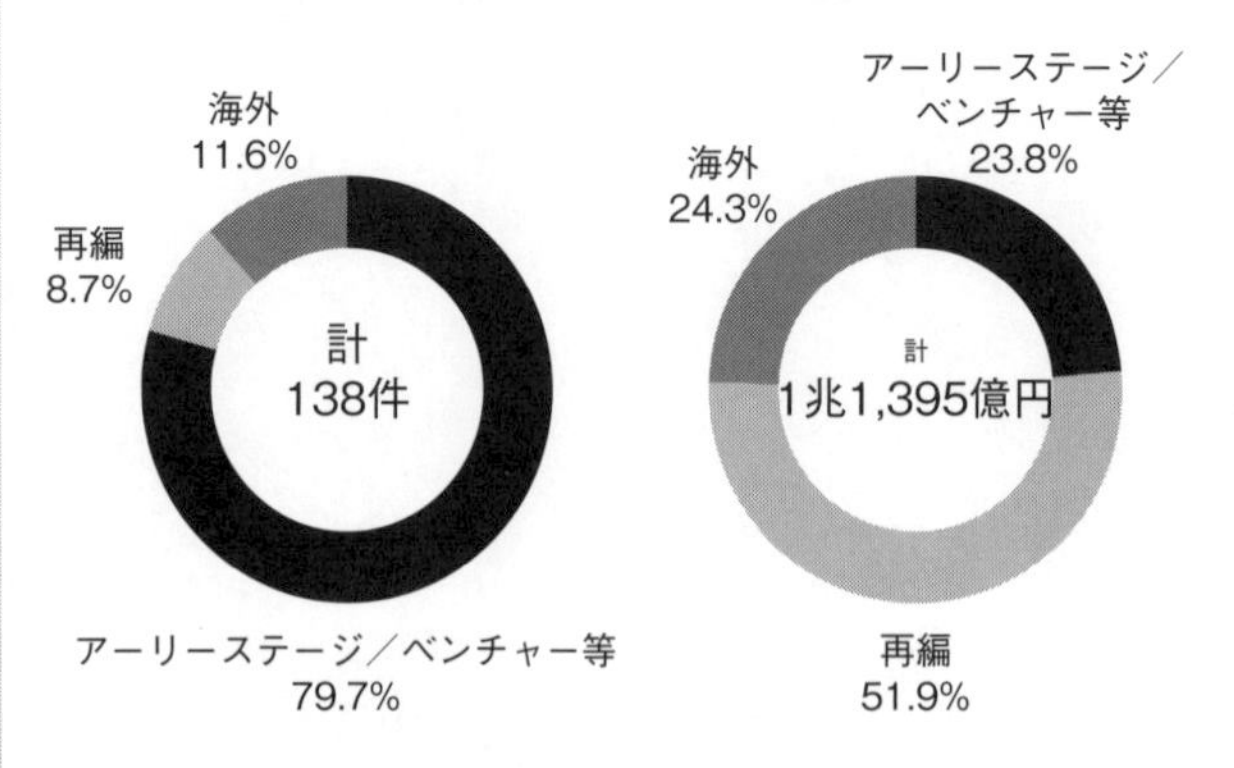

出所：INCJ HP、投資実績データ、2019年3月

アーリーステージ&ベンチャー投資先産業別構成比

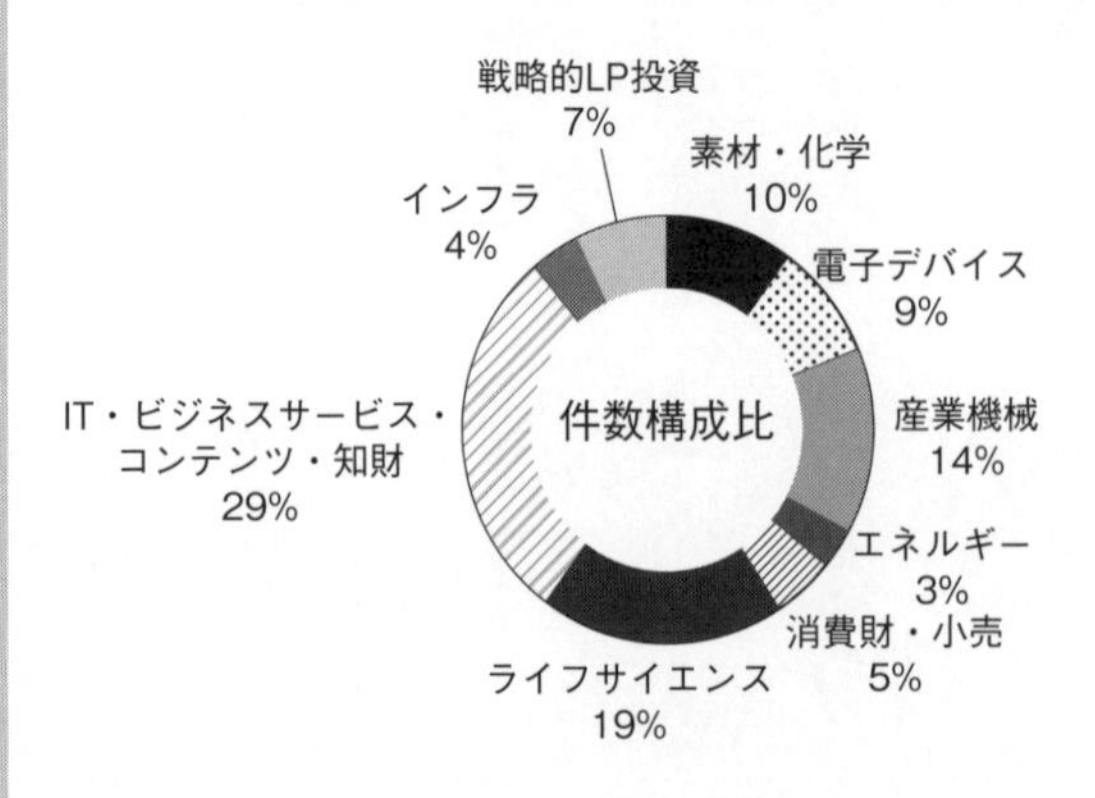

出所：INCJ HP、投資実績データ、2019年3月

間からの出資金一四〇億円を含み、あとは政府保証の借入金で賄われている。

投資件数は累計で一三八件。そのうち、すでに四四件はＥＸＩＴ済（売却あるいは終了）。

右の図表で見る通り、投資件数としては、アーリーステージとベンチャー等が八割、一一〇件を占めるが、投資金額としては、「再編」と「海外」が四分の三を超える。

実際の投資先は、技術にウエイトを置きながら、目的と基準に則して幅広い分野を対象にしていたことが窺える。特に事業化ステージの①アーリーステージと②ベンチャー企業等において、産業別投資実績（二〇一九年三月末）は、多岐にわたっている。

図表は「件数構成比」であるが、「金額比」もほぼ同じ構成比である。

まとめると、産業革新機構が、これまでに投資した案件（累計）は一三八件。このうち一一〇件がアーリーステージとベンチャー等である。そのなかの三二件（次ページ一覧表参照）が「ＩＴ・ビジネスサービス・コンテンツ・知財」という形で括られている。さらに、そのうちの六件（一覧表のグレーの部分）がいわゆる（狭義の）コンテンツ分野での案件である。

「コンテンツ」に関わる案件六件のうち五件は、すでにＥＸＩＴ済みとなっている。

このコンテンツ関連の五社の検証結果を以下に要約しよう。

まず、「All Nippon Entertainment Works」（ＡＮＥＷ）は失敗であった。出資額二二億

産業革新機構「IT・ビジネスサービス・コンテンツ・知財」業界への投資一覧　2011 ～ 2018

（グレーはコンテンツ関連）　　　　（出所：INCJ HPより作成）

投資対象	事業化ステージ	プレスリリース	事業	備考
Miselu Inc.	アーリーステージ	2011.07.21	日本人が起業し、グローバル展開を図るシリコンバレーのソーシャル楽器ベンチャー	
株式会社All Nippon Entertainment Works	ベンチャー企業	2011.08.15	国内のコンテンツのグローバル市場向けマーケティングおよび販売。国内コンテンツをオリジナルとしたグローバル向けコンテンツの企画開発の推進	2017.05 全株譲渡 FVCへ
音声検索技術のインキュベーション	アーリーステージ	2012.01.23	リアルタイム音声検索を可能とする音声検索エンジンのプロトタイプの開発、インターネット上の動画サイトへの広告配信事業への活用を企図	
株式会社出版デジタル機構	ベンチャー企業	2012.03.29	電子出版ビジネスのインフラ整備	2017.02 全株譲渡 メディアドゥへ
株式会社グロザス	ベンチャー企業	2012.05.10	日本のコンテンツ・商品の海外向けローカライズ、マーケティング、インターネット配信プラットフォーム	2016.04 全株譲渡 ニフティへ
リブレックス株式会社	アーリーステージ	2012.07.25	スマートフォン、デジタルカメラ、PCなどと連動した写真関連サービスなどのWebサービスの開発	2016.07 全株譲渡 カシオへ
Mido Holdings Ltd.	ベンチャー企業	2013.04.03	ネットワーク仮想化ソリューションの開発	
株式会社IP Bridge及び同社が組成・運営する知財ファンド	ベンチャー企業	2013.07.25	知的財産権の取得、保有、管理、使用・実施の許諾および売買並びにこれらの斡旋および仲介知的財産権を利用した事業に関する助言およびコンサルティング	出資継続中
株式会社シフトワン	アーリーステージ	2014.02.20	動画作成ツールを核としたモーションコミックの制作・配信等、日本のコンテンツを世界へ展開、クリエイティブ産業の拡大再生産に貢献	2017.08 全株譲渡 GMOへ
株式会社True Data	ベンチャー企業	2014.05.16	ID-POSデータを活用した各種分析ソリューション提供およびコンサルティング	
Sansan株式会社	ベンチャー企業	2014.05.19	クラウド名刺管理サービスの企画・開発・販売	
Cloudian Holdings Inc.	ベンチャー企業	2014.07.08	クラウドオブジェクトストレージ製品事業	
株式会社GRA	アーリーステージ	2015.03.16	イチゴの営業支援、パッケージの開発・生育・販売・保守サービス	
株式会社スマートドライブ	ベンチャー企業	2015.08.05	テレマティクス情報収集端末の開発、テレマティクス情報の収集および解析	
株式会社エルテス	ベンチャー企業	2015.10.01	Webメディアのリスク対策を支援する各種サービスの開発・販売	
株式会社F.TRON	アーリーステージ	2016.01.19	近未来のサイバー空間に必要なセキュリティ技術の開発と提供	
SOINN株式会社	アーリーステージ	2016.02.01	学習型汎用人工知能「SOINN」による各種機器・装置・情報システムの知能化	
スマートインサイト株式会社	ベンチャー企業	2016.06.24	SMART/InSight®製品（ビッグデータアプリケーション）の企画・開発・販売	
株式会社ABEJA	ベンチャー企業	2016.07.25	人工知能を活用したデータ解析プラットフォーム	
Treasure Data Inc.	ベンチャー企業	2016.11.08	クラウド型ライブデータマネジメント（LDM）事業、ログ収集ソフトウェア事業	
株式会社ロイヤルゲート	アーリーステージ	2016.11.18	モバイル決済カードリーダー、EC決済システム、ITソリューション事業、ITコンサルティング事業	
アグラ株式会社	ベンチャー企業	2017.01.16	経営情報基盤ツール「AGRA」の開発、販売	
リンクウィズ株式会社	ベンチャー企業	2017.01.17	三次元制御ソフトウェアの開発・販売事業・産業用ロボット導入をサポート	
ヘイ株式会社	アーリーステージ	2017.02.06	スマートフォン等を使ったクレジットカード決済ソリューションを提供するコイニーサービス等の経営	
オスカーテクノロジー株式会社	アーリーステージ	2017.03.21	ソフトウェアの自動並列化技術の開発	
株式会社ファームノートホールディングス	アーリーステージ	2017.03.27	酪農・畜産分野をはじめとした農業ICT事業の展開	
株式会社K-engine	ベンチャー企業	2017.05.12	住宅建設会社向けの自動見積・業務効率化を支援するITサービスの開発・販売	
株式会社フロムスクラッチ	ベンチャー企業	2017.05.16	クラウド型マーケティングプラットフォームおよび導入等に関わるデータコンサルティングサービスの提供	
株式会社Nextremer	アーリーステージ	2017.08.08	AI対話システムの開発・販売・受付やカスタマーサポート業務の自動化	
ClipLine株式会社	アーリーステージ	2018.03.13	動画を活用したマネジメントプラットフォームを提供、GDP全体の7割を占めるサービス業全体の生産性向上に貢献	
株式会社エクサウィザーズ	アーリーステージ	2018.03.28	社会課題解決型AIソリューションの提供、認知症ケアなど	
UMITRON PTE. LTD.	アーリーステージ	2018.07.03	水産養殖のIoT給餌システムの開発・サービス提供	

二〇〇〇万円が、ほぼ全損。

「グロザス」は人的プールの企業であったため、統合先に同化した。

残りの三社は、売却によって利益が出たケースも損失を残したケースもあるが、いずれも、買収企業とのシナジーは発揮され、買収企業の戦略的事業展開に貢献している。

まず、「出版デジタル機構」のケースにおいては、リーダーシップの集約による市場の効率性に寄与した。また「リプレックス」のケースにおいては、ハードからソフトへの連結環を担い、製造業の生き残りのモデルを提示した。

ファンドの投資採算としては、個々の勝ち負けはあるが、全体として利益を確保し、投資先企業のＥＸＩＴ後の着地も決して悪くはない。

ただしコンテンツ部門では、手探りで始まった官民ファンドの導入なので致し方のないところではあるが、案件の規模感、革新的インパクト、新規需要の創出という機構設立時の目的に対しては「小粒」という印象である。

「コンテンツ」に関わる案件は、産業革新機構が設立された初期の段階の二〇一四年二月までに六件の投資が行われているが、その後は「コンテンツ」分野への投資案件はない。

その理由としては、二〇一三年一一月に発足した「クールジャパン機構」が二〇一四年以降稼働を始め、コンテンツ産業の支援・推進に関しては、産業革新機構に代わってクールジャパン機構が主導的役割を取り始めたからだと考えられる。

✳クールジャパン機構の実績は

産業革新機構のこうした流れの一方で、二〇一二年末の第二次安倍晋三内閣でクールジャパン戦略担当大臣が創設され、アベノミクス「第三の矢」である成長戦略の一環として、クールジャパンを戦略的国策として位置づけることとなった。

続く二〇一三年一月、東日本大震災からの復興・防災計画を含む「日本経済再生に向けた緊急経済対策」が閣議決定され、二〇一二年度の大型補正予算のなかで、クールジャパン関連予算三四三億円と、財政投融資を原資とするクールジャパン向けリスクマネーの供給ファンド五〇〇億円規模の設立が決まった。

これに基づきクールジャパン推進会議が開催され、同年一一月には、クールジャパン機構(正式名称「海外需要開拓支援機構」)が設立された。

クールジャパン機構の目的、クールジャパン戦略は、以下のようなものである。

①国内人口の減少や、製造業中心の従来型産業のピークアウトによる国内の需要減少を踏まえ、②伝統・文化・ポップカルチャーなどの「コンテンツ」、デザイン・ファッションを含む「ライフスタイル」、日本食・日本酒などの「食」、観光・地域産業を含む「インバウン

ド」などの日本の魅力（クールジャパン）を戦略的に展開し、③海外需要の獲得と関連産業の育成・雇用創出を図る。

クールジャパン機構は、二〇一三年に設立されてから二〇一九年九月までに、政府出資金総額が七五六億円に達した。また、投資件数は累計四一件に及び、二〇一九年九月時点での投資継続案件は三四件である。

分野別内訳としては、メディア・コンテンツが一五件で五〇一億円、ファッション・ライフスタイルが八件で二〇一億円、食・サービスが一二件で一五〇億円、インバウンド、その他の分野横断が六件で九五億円となっている。

投資ファンドである性格上、当然、投資し、売上が出てくるまでには時間がかかる。その間も事業費用や賃金などは発生して支払いがなされているので、毎年、損失が発生する。二〇一八年度までに累積した損失額は九七億円に膨らんだ。

これをもってして、クールジャパン機構が破綻しているとか、税金の無駄遣いだとかいう議論をするには当たらない。確かに個別の案件では、投資が失敗と判断せざるを得ないケースもある。しかし、エクイティ・ファンドは、そもそもリスクテイクが本分である。しばらく儲からなくても仕方がないのだ。

コンテンツに関わる投資案件一二件（設立から二〇一九年四月まで）のなかで、ＥＸＩＴ

クールジャパン機構　コンテンツ分野　投資一覧　2014～2019

投資対象・対象地域	公表日	設立企業・関係会社	支援決定額	概要・進捗
ジャパンコンテンツ関連ネット販売 全世界（米国・インドネシア等）	2014.09.25	Tokyo Otaku Mode, Inc.	15億円	・マンガ・アニメ等のポップカルチャーを発信する海外向けメディア・EC事業。・ECサイト登録者数・取扱商品倍増。中国等への展開加速へ。
正規版アニメ関連ネット販売 全世界	2014.10.30	（株）アニメコンソーシアムジャパン バンダイナムコHD等	10億円 総事業費　50億円	・正規版日本アニメのサイマル配信を多言語で行う動画配信・EC事業。・2017年3月 EXIT済み（バンダイへ譲渡）
エンターテインメント番組制作 アジア（台湾・タイ等）	2014.10.30	（株）MCIPホールディングス 吉本興業等	10億円 総事業費　21億円	・アジア各国向けテレビ番組で日本を発信し、イベントや地域物販等を展開。・2015年より11組16名のお笑い芸人がアジア6ヵ国・地域に展開。
ジャパンコンテンツのローカライズ 全世界	2015.02.19	SDI Media Group, Inc. イマジカ、ロボットHD等	75億円 総事業費　190億円	・80言語以上に対応したローカライズの基幹インフラ事業の獲得。・コンテンツの取扱数が倍増。
ジャパンチャンネル 全世界	2015.03.04	WAKUWAKU JAPAN（株） スカパー JSAT	44億円 総事業費　110億円	・22ヵ国にオール日本コンテンツの有料衛星放送チャンネルを展開。・現在7ヵ国・地域で放送中。
海外でのクリエーター育成 アジア・欧州・豪州	2015.03.30	KADOKAWA Contents Academy（株）	4.5億円 総事業費　10億円	・アジア等で日本コンテンツのクリエーター人材を育成するスクール事業。・台湾に加え、2016年4月にタイで開校。
アジア広域でのライブホール展開 アジア（シンガポール等）	2017.04.28	（株）Zepp ホールネットワーク	50億円 総事業費　102億円	・アジア広域で統一的な規格のライブホールを展開 ・2017年6月シンガポールの施設開業。日本人アーティストも使用。
ミャンマー地上波放送 ミャンマー	2018.03.09	Dream Vision Co.,Ltd.	1600万ドル （約17.5億円）	・ミャンマーの地上波放送向けに、日本コンテンツを発信。 ・スタジオ建設、放送設備の整備中。2020年から放送開始予定。
訪日外国人向けエンターテインメント発信 日本国内（大阪市内）	2018.03.23	クールジャパンパーク大阪（株）　吉本興業、在阪TV局、KADOKAWA等14社	12億円	・大阪城公園内に、訪日外国人も楽しめる日本のエンターテインメントを発信する劇場を整備。・2019年2月の開業予定
映像コンテンツ制作支援ファンド 全世界	2018.08.03	（株）ジャパンコンテンツファクトリー NTTぷらら、YDクリエイション（吉本興業、電通）	51.5億円 総事業費　53億円	・海外展開を目指す日本の映像コンテンツ制作資金を供給。・投資案件組成中。
動画メディアによる日本の魅力発信 全世界	2018.10.18	Tastemade, Inc.	1250万ドル （約14億円）	・動画メディアを通じて日本の食や地域の魅力を全世界に発信。・日本コンテンツ発信、日本商材のEC強化、グローバルビューワー獲得強化
楽しく学ぶ教育アプリ、配信事業 日本国内、アジア	2019.04.21	ラフ&ピース　マザー NTT+吉本興業	最大100億円	・子供を対象にスマホやタブレットで遊びながら学べる教育コンテンツを配信・2019年10月以降事業開始

（※下線部は、すべて経産省のコメント）

出所：経産省「クールジャパン政策について－2018年11月」などより作成

は一件、「アニメコンソーシアムジャパン」の、もともと共同出資者のバンダイナムコホールディングスへの譲渡（二〇一七年三月）である。

この「アニメコンソーシアムジャパン」は、正規版のアニメ動画を海外に多言語でサイマル配信（国内放映と同時配信）し、EC（電子商取引）を行う、版権元を問わないオープンの共通プラットフォームであった。

二〇一四年、鳴り物入りでスタートしたが、すでに版権各社は自前のプラットフォームを展開中で、一方、ネットフリックスやアマゾンなどの配信プラットフォームが市場を席巻し始めた時期であった。「時すでに遅し」の感をぬぐえないスタートだったが、自前のプラットフォームを持たない中小のコン

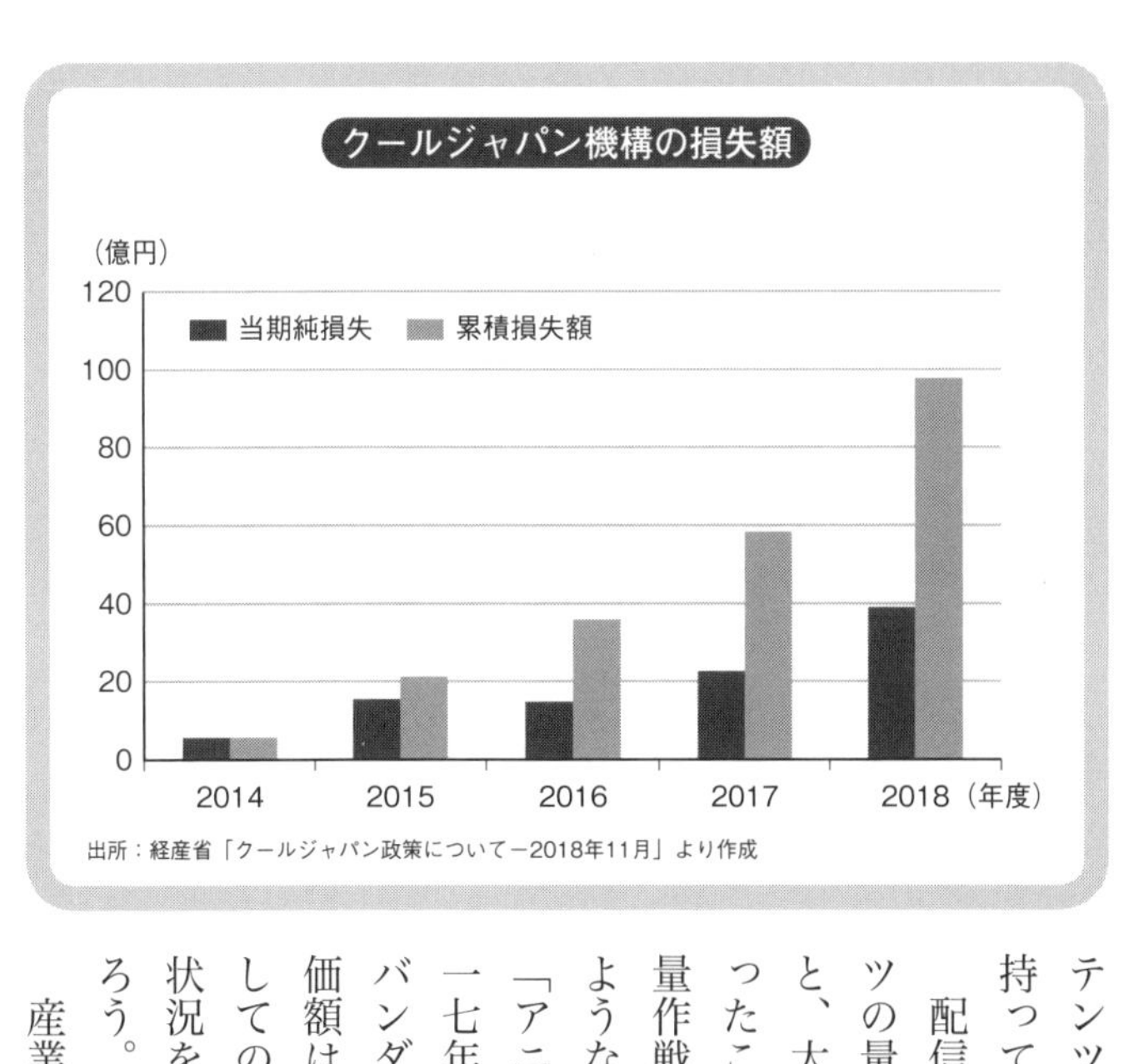

テンツホルダーをまとめるという意味合いを持っていた。

配信プラットフォームは、結局、コンテンツの量と質が雌雄を決する。後発であったこと、大手コンテンツホルダーを呼び込めなかったこと、ネットフリックスやアマゾンの物量作戦による、メニューと機能の目を見張るような充実によって、競合する術（すべ）も失った。

「アニメコンソーシアムジャパン」は、二〇一七年三月、静かにクールジャパン機構からバンダイのもとへＥＸＩＴしていった。譲渡価額は未公表である。クールジャパン機構としての損得は発表されていないが、取り巻く状況を客観的に見れば、損切りと見てよいだろう。

産業革新機構の検証でも述べたが、クール

ジャパン機構はエクイティへの投資ファンドであり、かつ産業革新機構とは違って、事業再生や集約という目的を持っていない。基本はベンチャーもしくは未知の領域への投資である。投資の勝ち負けは、負けが多くて当たり前のファンドなのだ。ただ、ＥＸＩＴによる損益、投資案件として評価が詳細に公表されないこと、民間の共同出資者に偏りが見られることは問題だ。

❋日本の正念場

産業革新機構とクールジャパン機構のいずれにおいても、その目的とするところに、民間だけでは抱えきれないリスクを取ることがある。

産業革新機構とクールジャパン機構に代表される官民ファンドについては、二〇一八年四月に提出された「国の財政支援及び官民ファンド運営法人による支援の実施状況」という会計検査院による報告書の公表以来、その実態に対する専門家とメディアによる評価とコメントが噴出した。ここでも、両機構に対するコメントは厳しい。

設立から一定期間が経過し、二〇一八年、両ファンドともに再編され、人事も一新されたのだが、ファンドとしてはなかなか難しい事情を抱えている。

ひとつ目は、ファンドの評価損が膨らんでおり、運用がうまくいっていない事例が多く出てきていることだ。当然のこととして、参加者は、特に省庁は、姿勢が慎重になってくる。ファンドが失敗するのを見るのは残念なことだ。しかし、もとより成功の確率が高くはないからファンドが必要なのだ。

ＡＮＥＷは失敗したが、目的としては、どの案件よりも画期的で優れていたと筆者は考えている。ＡＮＥＷの失敗は、目的の失敗ではなく、運用とガバナンスの失敗だ。これが、官民ファンドを通じての「コンテンツ」に関わる案件の第一号であったこと、そして「羹(あつもの)に懲りてしまった」ことが、クールジャパン戦略にとっての最大の不幸である。

二つ目は、出資は国、経営は招聘(しょうへい)された民間人という、官民ファンドの原理的弱点だ。ファンドとしての事業が大きく失敗すれば、株主である国は損失を被る。民間から来た経営者は経営責任を取って失職する。ただ、実態はどうか。現実を見てみよう。

まず、株主である国のほうは、損失を糾弾はされても、関係省庁の誰かが責任を取ることはない。もとより役人のキャリアに影響が出るような関わり方になっていない。

次に、民間から招聘されたファンド経営者は、自身が経済的なリスクにさらされることはない。損失は国の負担なので、業界にツケは回らないから、業界内でキャリアロスにもならない。せいぜいアップサイドが取れないだけで、ダウンサイドは、ほぼない。

つまり、この構図のなかには、命を懸けている者がいない。起業家精神などはないのだ。

再編後の傾向を見ると、さらに、リスクをできるだけ取らない方向に、案件選択が向かっているように見える。制度設計や管理サポートといったインフラや、施設整備・運営といったハコモノ、そして海外モノへの投資が多い。肝心（かんじん）の国内発事業リスクに資金が付かない傾向にある。最終的には国民のカネだからリスクを最小限に、ということは理解できるが、ファンド創設時の志とはズレている。これでは、ユニコーン企業が生まれる道理はない。事業リスクを取らないのなら、この手のファンドはいらないのだ。

この二つの巨大ファンドは刷新され、再び稼働し始めた。

ここからファンドの正念場、という話ではない。日本の正念場なのである。

終章　シミュレーション2030　日本の「文化GDP」

❋総理に就任したIT起業家の原体験

二〇三〇年一一月の澄み切った空気に包まれた日本晴れの日、衆議院本会議で首班指名を受け、日本国の第一〇二代・内閣総理大臣になった二谷深史（にたにふかし）は議席で起立し、院内から湧き起こる拍手に応えていた。

思い起こせば八年前の二〇二二年が転機だった。米国への留学から帰国し、一九九七年にインターネットショッピングモールを、一九九九年にネット専業証券会社を設立し、日本を代表する企業に育て上げた二谷は、この年の解散総選挙で、民主自由党から出馬し初当選。その三年後の解散総選挙では再選を果たした。

その二年前の二〇二〇年、日本および世界は、人類が初めて体験する凶暴な新型ウイルスに蹂躙（じゅうりん）され、何十万人もの無辜（むこ）の人々が尊い命を失った。中国をハブにして形成された世界の製造業のサプライチェーンは、完全に崩壊した。

そうした危機的な事態に陥っても、日本の製造業は、半導体製造装置や工場用ロボットなど産業用製品が世界的に大きなシェアを持っていたため、自動車産業を中心にしたドイツや韓国、そして新型ウイルスの発源地として生産活動が完全にストップした中国に比べ、打撃は少なかった。日本の自動車産業も、国内に多くの協力企業を抱えていたため、サプライチエーンの再構築に時間はかからなかった。

しかしそれでも、多くの工場労働者が失業した。一九七八年の統計開始以来、初めて二〇一九年に二万人を割った自殺者数も、三万人に迫った。こうした大混乱を、二谷は、ＩＴ起業家特有のクールな観察眼で眺めていた。

そんなある日、二谷はＮＨＫの朝のニュースを観て、雷に打たれたような衝撃を受けた。その内容は、ある韓国人青年の活動を追ったものだった。

青年は「Ｎｉｇｈｔ Ｔｅｍｐｏ（ナイトテンポ）」というＤＪ兼プロデューサー。日本の昭和歌謡を聴いて衝撃を受け、その時空と国境を超えたパワーを世界に知らしめたいと思ったという。

この流れのなか、ナイトテンポがアレンジした竹内まりやの「プラスティック・ラブ」が、ネット上で大ブレイクした。世界中の若者たちがユーチューブで視聴し、その数は二〇二〇年三月の時点で、五〇〇〇万回にも上った。そうして世界の評価が定着した昭和歌謡のネーミングが、「シティポップ」である。

ナイトテンポは、米国にも進出した。二〇一九年二月にはサンフランシスコで、七月にはロサンゼルスでＤＪを務め、多くの観衆から万雷の拍手を受けた。

これら「シティポップ」の代表的なアーティストが、松任谷由実、山下達郎、大貫妙子、大滝詠一、杏里、オフコース、１９８６オメガトライブなどである。加えて、菊池桃子やＷｉｎｋ、そして中山美穂らの曲も人気があるという。

……二谷の青春時代を彩る曲のすべてが、そこに並んでいた。このとき二谷は確信した。

「政府の補助金を得て官主導で人気を博した韓国のＫポップと違い、日本のコンテンツには、民衆の血肉となっている多様な芸術性の発露がある。そう、まるでピカソのような多作の民族性が見える」

それから二年後の二〇二二年、経済不振で低迷する内閣支持率を浮揚させるために行われた解散総選挙で、二谷は与党・民主自由党からの要請を受け比例単独候補として出馬し、最多得票を得て当選した。

この選挙で二谷が連呼した言葉が「文化ＧＤＰ」である。

「これからの日本は、工業製品ではなく文化を輸出する国になるのです！　私は現在三一兆円の文化ＧＤＰを一〇〇兆円に増やすべく、これまでのビジネスで培った経験をすべて注ぎます！」

二谷は二〇二五年の解散総選挙でも二度目の当選を果たし、この年に創設された文化産業大臣に就任した。

❋マンガは自動翻訳付きで世界に同時配信

衆議院本会議場で万雷の拍手を受けながら、二谷は、その広い会議場の天井を見上げた。万感の思いとともに、この五年間の文化産業大臣としての政治成果に思いを致していた。

文化コンテンツ産業に関わる政府系ファンドを一斉に見直し、従来は大半を占めていた「ハコモノ」への投資を止め、事業リスクとプロジェクトリスクを含む「中身（コンテンツ）」への投資に切り替えた。

税制調査会の重鎮議員たちからの猛反対を凌ぎ、租税特別措置法による文化コンテンツ産業への減税措置をまとめた。

若手クリエーターに対する奨学金を大規模に拡充し、かつ、彼らが創作と生活を同じ場所で行えるようなSOHOを全国四七ヵ所に設置した。

海外からの観光客に対し、その訪問回数に合わせてポイントを与え、帰国時の空港で次回訪問時に使える宿泊・食事クーポン券を配布した。

……そうした成果は爆発的に表れた。日本という国は、二谷が確信していた通り、コンテンツの宝庫だったのだ。ビジネスの分野では、以下のように、各コンテンツが急速に成長し、「文化GDP」の成長に大きく寄与した。

まず、自動翻訳付きのマンガは驚異的な勢いで世界中に広がり、二〇三〇年、ついにアメコミを超えた。世界のエンターテインメント市場で、一二兆円規模の経済効果を生み出すメジャーコンテンツになった。

マンガは、コンテンツが派生展開されていく連鎖の頂点に位置している「メタコンテンツ」である。マンガの持つ経済効果の誘発力は大きい。

一般社団法人 日本動画協会の資料でアニメの業界市場と産業市場を比べると、アニメの全世界経済効果誘発倍率は、ほぼ一〇倍、メタであるマンガの誘発倍率は、これを上回る一五倍はあると推定できる。

他の出版物と同様に長期低落を続けていたマンガ市場は、電子マンガの登場によって回復し、『鬼滅の刃』のような大ヒットも生まれて、二〇二〇年には五〇〇〇億円まで復活していた。

二〇二〇年代、マンガの初出媒体は紙の雑誌からネットへと転換し、初出のスペースが無限に広がった。分母が大きくなることで、マンガのオリジナル創出力は、質量ともに飛躍的に拡大した。結果、新作の登場とヒット誕生のペースが加速した。

そこに拍車をかけたのが、自動翻訳機能の長足の進歩だ。二〇二〇年代半ばには、主要言語でほぼ完璧な自動翻訳が即時に可能になった。これは、アウトプット（読者側）だけでなく、インプット（作者側）にも重大な効果をもたらした。世界中のマンガファンが、いまやマンガ生産側の潜在的供給者になったのだ。

こうして質量とも増強されたマンガの供給システムは、二〇三〇年、マンガの業界市場に八〇〇〇億円の売上をもたらした。そして、その世界産業規模は誘発倍率（一五倍）を乗じた一二兆円に達したのである。

＊オリジナルに回帰したアニメの世界市場は一〇兆円台に

アニメ産業は二〇二〇年頃からの世界的拡大を契機に、オリジナルアニメ制作に思い切った投資を始めた。そこでは６Ｇと自動翻訳というテクノロジーの進化が大きな追い風となり、新作オリジナルのなかから世界的な大ヒットが続いた。

ディズニー作品などは「アニメーション」と呼ばれ、「アニメ」といえば、一般的には「日本アニメ」を表すことが多い。ディズニーのアニメーションが、ミッキーマウスの『蒸気船ウィリー』から始まり『アナと雪の女王』に至るまで、幅広く年代を超えて世界中にファンを広げてきたのと同じように、日本アニメも『アルプスの少女ハイジ』から『もののけ姫』まで、同じように世界中で広く愛され続けてきた。

ディズニーをはじめとする欧米のアニメーションが、ＣＧを駆使した作品に移行するなかで、日本アニメは「手描き」スタイルの2Dアニメで世界のファンを魅了し続けた。それは、キャラクター、つまり「絵」を動かすよりは「ストーリー」を動かし、その「ストーリー」を「絵」でなぞっていくという制作スタイルである。

二〇二〇年代半ば、6Gでさらにテクノロジー的に先鋭化していくアニメーションと、手描きスタイルのアニメは、まったく異なるジャンルのコンテンツとして扱われるようになった。

アニメーションがテクノロジーへと傾注していったのと対照的に、日本アニメはアナログへ回帰したことで、自然志向、シンプルライフ志向の層から絶大な支持を受け、従来とは違う世界規模のビジネスチャンスに遭遇することになった。

さらに、最先端の自動翻訳は、日本アニメにおいてこそ、その威力を満遍なく発揮した。マンガの自動翻訳は「テキストからテキスト」であるが、アニメの翻訳は「翻訳されたテキストからボイス」である。吹替えの声優の声を事前にプログラムしておいて、翻訳済みのテキストを入力すると、自動的に表現豊かなボイスになって出力されてくるのだ。

こうして日本アニメは、世界の隅々まで浸透する大きなムーブメントを経験し、業界規模は八〇〇〇億円に達した。いまや日本アニメは、アニメーションとは別次元のジャンルとして確固たる地位を得て、経済効果の誘発倍率も一〇倍を大きく超えた。二〇三〇年、全世界のアニメ産業市場は一〇兆円の大台に乗った。

＊「少年ジャンプ・ユニバース」は年間一兆円に到達

二〇三〇年、メディア・フランチャイズで、「少年ジャンプ・ユニバース」は、ＭＣＵ（マーベル・シネマティック・ユニバース）を抜いて、年間産出額で一兆円を記録した。「ポケモン」やその他の日本由来のメディア・フランチャイズを合わせると、年間で三兆円の産出額だ。

二〇二〇年当時、ウィキペディアが推計した歴代メディア・フランチャイズの二〇一九年ランキング（誕生来の総産出額）において、日本は、「ポケモン」「ハローキティ」「アンパンマン」「少年ジャンプ」「スーパーマリオ」の五つで、上位一〇傑の半数を占めていた。世界一位は「ポケモン」だった。ゲーム、ビデオ、カード、商品化など、すべてを含んだポケモン・フランチャイズに関して述べれば、ポケモン誕生（一九九六年）以来の総販売額は、約一〇兆五〇〇〇億円にも及んでいた。

日本は、コンテンツのマルチ展開が得意なのだ。

コンテンツをフランチャイズとして考察すると、たとえば『アベンジャーズ』の派生商品としては、いわゆるゲームがないし、二・五次元ミュージカルもない。一方の『ＯＮＥ Ｐ

IECE』には、マンガのほかに、アニメやゲームはもちろん、キャラクター商品、ノベライズ作品、ミュージカル、ついには歌舞伎まである。

日本のコンテンツ、特に「少年ジャンプ」のフランチャイズとしてのコンテンツバリューは、マーベルやディズニーを凌駕（りょうが）している。

二〇二〇年代に入って再び成長軌道に乗ったマンガは、さらにインターネット革命で、あらゆるコンテンツ分野を通して最大の受益者となった。

こうして二〇三〇年、「少年ジャンプ・ユニバース」は、年間産出額でMCUを抜いた。現役でオリジナルを創出し続けるフランチャイズが、世界一位となることの意味は大きい。フランチャイズを構成する、すべての分野の産出額を嵩上（かさあ）げするからだ。

❋ソニーがディズニーを抜き去る日

ソニーが再び世界に名をとどろかせる時代がやって来た。

二〇二〇年代から参入した電気自動車製造で、あっという間にテスラを抜いた。もともと持ち合わせていた社内インフラのスケールは、テスラの比ではなかった。それでも電気自動車の成功は世界を驚かせた。

ソニーが、二〇三〇年の現在でも日本の製造業者であると知る若者は、もはや海外では少ない。若者は、ソニーのコアビジネスがソフト産業だと思っている。ゲームソフトと映画の会社であり、『００７』と『スパイダーマン』の会社なのだ。

同じく二〇二〇年代、ソニーはマンガやアニメをはじめとする日本のオリジナルコンテンツのアーカイブを、自らの中核ビジネスである映画とゲームに連携させて、一大フランチャイズに再構築していった。

積年の課題であった権利の壁を超えて、いくつかの強力なコンテンツアーカイブがソニーのポートフォリオで再生し、新たなフランチャイズを築いていった。

手塚治虫、黒澤明、さかのぼって江戸川乱歩や歌舞伎のアーカイブも、ソニーの手でメディア・フランチャイズ化されていった。

こうしてソニーは、二〇三〇年、ついにディズニーを抜いて一〇兆円企業にのし上がったのだ。

＊本家の売上に並んだ東京ディズニーリゾートとＵＳＪ

オリエンタルランド（東京ディズニーリゾート）とユニバーサル・スタジオ・ジャパン（ＵＳＪ）は、本家を超えて独自の変貌を遂げた。二〇三〇年、いまや三兆円のビジネスを創り出し、日本の観光の目玉になった。

米国ディズニー社の年間売上は二〇二〇年当時、約六・六兆円、そのうちテーマパークの売上はグッズも入れて三兆円だった。一方、日本のオリエンタルランドとＵＳＪの売上は、合わせても七〇〇〇億円程度であった。

二〇一三年に、オリエンタルランドは「ディズニー・ダイニング・ウィズ・ザ・センス」を開催して大ヒットさせた。ＵＳＪは『名探偵コナン』や『ＯＮＥ ＰＩＥＣＥ』など日本由来のキャラクターで独自のアトラクションを積極的に開発し、次々にヒットさせていた。

両社ともに、権利上の制約条件があるなかで、なお積極的にオリジナルのコンテンツ開発を続け、新しい需要を創り出すことに成功した。

日本が他国からライセンスを受けて展開するビジネスは、時に本家を超える。コンビニの「セブン-イレブン」が良い例で、本家の米国を凌ぐほどに日本とアジア地域でビジネスを拡大し、成功を収め、ついには本家を買収した。

オリエンタルランドもＵＳＪも、米国の本家を買収するには至らないだろうが、いずれも優れた商品開発力を持っている。オリエンタルランドは園外にディズニー関連のアトラクション・ビジネスを展開し、ＵＳＪは園内に本家以外の独自のコンテンツを提供している。

二〇三〇年、ついに彼らのオリジナルコンテンツは、本家からのライセンスコンテンツを上回る売上を記録し、売上総額は、米国の本家と並ぶ三兆円規模になった。

＊「初音ミク」型のお手伝いさんがＧＤＰの五％を

米国ニューヨークにあるコロンビア大学は、バラク・オバマ第四四代米国大統領をはじめ、何人もの大統領を輩出しただけでなく、二〇二〇年当時、すでにノーベル賞受賞者を一〇〇人超、ピューリッツァー賞受賞者を九〇人超も輩出していた。そして、四〇人超のオリンピック選手、さらには二〇人をはるかに超えるアカデミー賞受賞者がいた。

文化をたゆまず創造し、産業として育てるためには、コロンビア大学の例を見るまでもなく、文化がテクノロジーやビジネスや政治などの他分野と有機的に連携することが必要だ。

日本は、二〇二〇年代にオリンピック・パラリンピックと万国博覧会を経験し、二〇二五年には文化産業省を創設した。それに続き、東京大学と東京藝術大学の統合が発表された。

そして、この統合大学には、映画と舞踊の専科がそれぞれ新設されることも発表された。やっと日本でも、文化芸術分野をリードするエリートの育成が始まったのだ。

この統合大学は日本の文化産業戦略の中核を担い、文化領域では幾多のＩｏＴコンテンツを、そしてｅスポーツ分野では多くの新種目を開発した。

オタクのボーカロイドだった「初音ミク」は、いまや一家に一台のお手伝いさんロボットだ。家の掃除から食事、教育や健康管理まで、「初音ミク」が主導権を握る家計消費は、二〇三〇年、ついにGDPの五％を占めるに至った。

「初音ミク」は二〇二九年、米国にも輸出され、すでに米国国内消費の一％を握ったようだ。

❋キャラクター関連消費は全世界で一〇兆円に

マンガをヒントに始めたIP（知的財産）発掘ビジネスで、リクルートは、第二第三の「ポケモン」と「ハローキティ」を連発、二〇三〇年には全世界で一〇兆円のビジネスになった。

ついに、日本のコンテンツ創出システムが、その威力を世界に見せつけたのだ。

まず「文化GDP」の議論に参加した人々のあいだで、あらためて「マンガ」の凄さが再認識された。マンガはコンテンツ連鎖の源流となり、やがて巨大なメディア・フランチャイズを創ることができる。しかも資本を必要とせず、一人の人間が鉛筆一本で創り出すことができる。それは、人間が存在する限り永遠に途絶えることのない、単純な生産活動だ。そこで生み出されたコンテンツは、投稿や持ち込み、あるいはマンガ賞などを通じてプロの編集者に届き、ビジネスの洗礼を受ける。

この仕組みを、リクルートは、キャラクタービジネスに持ち込んだ。投稿を受け付ける窓口をネット上に作ったのだ。制作者は、対象年齢とキャラクター属性などで区分けされたネット上の投稿箱に、自分の作品を放り込むだけだ。

リクルートは、こうして無数のオリジナルキャラクターを集積し選別する仕組みを作った。そしてその反対側に、キャラクターを探している企業やメディアを集めて、キャラクターとのマッチングを始めた。

二〇二〇年代を通じてリクルートがこのシステムで創り上げたキャラクター・プールのなかから、世界的な大ヒットが何本も生まれた。

そして二〇三〇年、これらキャラクター関連消費は、全世界で一〇兆円に達した。複数のキャラクターの合計ではあるが、全盛期の「ポケモン」の五倍もの市場規模となったのだ。

❋「東京ブロードウェイ」構想で来日外国人が一億人に

ついに本場に並び、「東京ブロードウェイ」は三兆円産業に成長した。加えて日本への訪日外国人の数は一億人を超え、観光立国としての新たなフェーズに突入した。これも二〇三〇年の日本の風景だ。

「東京にナイトエンターテインメントを！　東京にブロードウェイを！」が、クールジャパンの議論が始まって以来のテーマだった。

午後七時開演の舞台がいくら増えても、トレードオフが働くので、興行自体のパイはそれほど大きくなるわけではない。ところが、もともと空白地帯の午後九時や一〇時に開演する舞台は、観客さえ来れば、興行的には純増になる。

増え続ける外国人観光客は、夕食後にもうひと遊びしたくても、行くところがなかった。ナイトエンターテインメントは、空白地帯に新しい需要を創ろうという試みだった。

そして「東京ブロードウェイ」構想とは、昼夜を問わず、ライブエンターテインメントの地域的な集積を創り出し、食事、観劇、観光など、賑(にぎ)わいの相乗効果で経済効果を増幅しようという試みだ。

二〇一〇年代後半にかけて、いくつものチャレンジがなされたが、残念ながらナイトエンターテインメントも、「東京ブロードウェイ」も、うまく立ち上がらなかった。

演目的に見てみると、外国人観光客が、海外作品を日本語で観たいと思う道理はない。しかし、多言語あるいは無言語という舞台作りには、多くの制約があった。

また高齢化する日本人の観客は、夜型に向かうどころか昼型に向かい、興行のメインは、夜の部から昼の部(マチネ)に移ってしまった。

そうしたなか、猛威を振るった新型ウイルスも終息期を迎えたタイミングで、ついに起爆剤となるようなオリジナルのショーが始まった。それは「日本」を安易に強調したショーではなく、「日本人」が創る良質な王道のショーだった。

逼塞（ひっそく）していたウイルス禍の時間に、ピカソとしての日本人の創造力が熟成したのかもしれない。外国人観光客で夜の劇場が埋まるようになった。

作品供給側は、みな成功事例を待っていたのだ。こうして一気に制作機運は盛り上がり、良質な作品の供給が続いた。

新任のクールジャパン戦略担当大臣も、ついにリーダーシップを発揮し、エンターテインメントの集積を政治的にバックアップ。地域経済の活性化につなげる政策を次々に打ち出した。やっと「食事」「観劇」「観光」が一貫した「賑わい」のセットになって、ブランド展開されることになった。

一点集中のブロードウェイ型とは違う分散型の「東京ブロードウェイ」は、「日比谷＋銀座」「日本橋＋浅草」「渋谷＋新宿＋池袋」の三つのブロックに分けてブランド化され、そのなかでは、演目、時間帯、運営などの標準を設定し、パイを大きくするための方策が次々と採られた。

この流れを受け、二〇二五年に「文化産業省」が創設され、兼任であったクールジャパン戦略担当大臣に代わり、専任の大臣が生まれることになった。それが二谷深史、自分であった。

一方、訪日外国人数は、新型ウイルスの終息や東京オリンピック・パラリンピックのあと、順調に回復の兆しを見せてきた。かねてよりの「ビジット・ジャパン」計画に代わり、「リピート・ジャパン」戦略が策定され、「二〇三〇年に訪日外国人数八〇〇〇万人」という目標が掲げられた。

しかし二〇三〇年、訪日外国人数は目標を大きく上回り、一億人を超えた。この結果、「東京ブロードウェイ」は、三ブロックの総合で三兆円を超える経済規模を有するに至ったのだ。

京都市、大阪市、神戸市が共同で立ち上げた「関西ブロードウェイ」も、すでにスタートしている。

＊八〇年前の松下幸之助の慧眼

八〇年近く前の一九五〇年代前半に、当時の松下電器産業（現・パナソニック）の松下幸之助社長は、対論や「文藝春秋」の記事のなかで、すでに日本国の本質を喝破していた。

まず「日本の富の一番大きなものは何かというと、日本の景観美だ」と説いた。また「日本の自然の美しさは世界の一、二位である」といい、「多くの外国人観光客を呼び込むことは国土の平和にもつながる」としたうえで、「観光省」を設立すべきだと主張した。

長い時間をかけて、それが証明された。観光庁と文化産業省も設立された。

そうして日本の「文化ＧＤＰ」は、二〇三〇年に二谷の目標を上回る一四五兆円を記録し、ついに世界一位の座を獲得したのだ。

文化・創造の分野で、日本は強い。本当に強い。この方向に国家の将来を託すことは、間違っていない。二谷深史は、そう独りごちた。

文化産業大臣に就任して以来、自分が手掛けてきたいくつものイニシアティブ（新機軸）の成果を、あらためて書き出して並べてみたが、こうしてみると、日本が米国を抜いて「文化ＧＤＰ」世界一位になったことは、それほどの驚きではないように思えてきた。

日本は、もとより文化・創造に関しては、当たりくじを持っていたのだ。遅くなったが、どうやらうまく換金できたようだ。

文化産業大臣として旗振りをしてきた自信を感じ、自分にもうひと声かけてみた。

「今度は総理大臣として、さらに日本の文化ＧＤＰを伸ばし、一九八〇年代のバブル期にも果たせなかった『一人当たりＧＤＰ世界一位』を目指すのだ」と――。

あとがき――「お祭りバブル」ではない日本の時代がやって来る

最近、街なかの書店を訪ねると、「日本」という国に対する悲観論と、一方、国民たる「日本人」に対する楽観論が交錯（こうさく）している。

ショックアブゾーバー（自己防御）としてのワンパターンの悲観論でも、根拠のない脳天気な楽観論でも、前途の難関や激変に備えることはできない。

それでも、悲観的であることは多くの場合「感情」の問題だが、楽観的であることは「意志」の問題である。だから筆者は、できる限り楽観的であろうと努めている。そして楽観的であるために、楽観の根拠を常に事実のなかから探ろうとしている。

繰り返しになるが、日本の歴史、自然、食、そしてコンテンツの創出力は、減耗（げんもう）することのない我々の財産である。加えて時代は、文化、芸術、創造に関連するソフトの豊かさを希求し始めている。

二〇三〇年は、再び日本の時代だと期待している。しかし、次にやって来る日本の時代は、モノや情報が牽引した「お祭りバブル」の到来とはまったく別物だ。
穏やかで、世界中が日本に微笑み（ほほえ）みを送ってくれるような、そんな日本の時代がやって来るのである。

筆者は二〇二一年に音楽劇をプロデュースすることになっていたが、その準備中に知人の編集者M氏から本書の構想を持ちかけられた。原稿のなかで自分が携わってきた仕事と日本のコンテンツの強みを再検証する作業は、この音楽劇を創り上げるうえでも大きく役立ったような気がする。M氏と白秋社（はくしゅうしゃ）の高橋勉（たかはしつとむ）氏には、この場をお借りして感謝の意を表したい。ありがとうございました。

二〇二〇年四月

福原秀己（ふくはらひでみ）

著者　福原秀己（ふくはら・ひでみ）
1950年、東京都に生まれる。映画プロデューサー。内閣府クールジャパン官民連携プラットフォームアドバイザリーボードメンバー。一橋大学経済学部卒業後、野村證券に入社。その後、メリルリンチ日本証券に入社。メリルリンチ投信投資顧問代表取締役社長、メリルリンチ・マーキュリー投信投資顧問代表取締役副社長、メリルリンチ日本証券取締役副社長を歴任。2004年、日本が誇るマンガ・アニメを海外で総合展開する米国VIZ Media, LLC（ビズメディア）の社長兼ＣＥＯに就任。小学館、集英社、小学館集英社プロダクションの提供するコンテンツの複雑な権利関係をまとめ上げ、日本文化を各国で受け入れられる形に適応させて、欧米にビジネスを拡大展開。2008年、VIZ Productions, LLC（ビズプロダクション）を設立、念願のハリウッド進出を実現。トム・クルーズ主演のＳＦ大作『オール・ユー・ニード・イズ・キル』などをプロデュース。

２０３０（にーまるさんまる）「文化ＧＤＰ（ぶんかじーでぃーぴー）」世界１位（せかいいちい）の日本（にっぽん）

2020年５月６日　第１刷発行

著　者　福原秀己
装　幀　川島 進
発行人　高橋 勉
発行所　株式会社白秋社
〒102-0072
東京都千代田区飯田橋4-4-8 朝日ビル5階
電話　03-5357-1701
発売元　株式会社星雲社（共同出版社・流通責任出版社）
〒112-0005
東京都文京区水道1-3-30
電話　03-3868-3275／FAX　03-3868-6588
本文組版　朝日メディアインターナショナル株式会社
印刷・製本　株式会社新藤慶昌堂

ISBN 978-4-434-27437-4